GELİŞMİŞ ÜLKE ADAMI
Abidin Sönmez

CİNİUS YAYINLARI
ÇAĞDAŞ TÜRK YAZARLARI I ÖYKÜ

Babıali Caddesi, No. 14 Cağaloğlu - İstanbul
Tel: (0212) 5283314 — (0212) 5277982
http://www.ciniusyayinlari.com
iletisim@ciniusyayinlari.com

Abidin Sönmez
GELİŞMİŞ ÜLKE ADAMI
abidin.sonmez@yahoo.com

Yayına hazırlayan: Zeynep Gülbay
Kapak resmi: Mehmet Metin Polat
Kitap tasarımı: Diren Yardımlı

BİRİNCİ BASKI: Mayıs, 2008

ISBN 978-605-4034-15-4

Kitap Matbaası'nda basılmıştır

Printed in Türkiye

GELİŞMİŞ ÜLKE ADAMI

Abidin Sönmez

) CİNİUS

Babama

Teşekkür

Annem, babam ve kardeşlerim sağlık sorunlarımı yenmem ve bugün sahip olduklarıma erişebilmem için büyük özveride bulundular. Bunu yaparken kendi temel ihtiyaçlarını bile gözardı ettiler. Onlara karşı hissettiğim minnettarlığı dile getirmem çok zor.

Yazma tutkusunu babamdan aldığım kesin. Onun her fırsatta yazı yazdığı, bulduğu her kağıt parçasına kendine özgü el yazısı ile anılarını, görüşlerini not ettiği herkesçe bilinir.

Babamın bana verdiği sadece yazma tutkusu değil. Orta öğrenim yıllarımda benimle ilgili aldığı cesur kararlara çok şey borçluyum. Üniversitede okurken onun yorulmayan ve yılmayan kişiliği olmasa çoktan kaybolup gitmiştim. Benim ve kardeşlerimin ondan aldığımız sevginin boyutu ise bunların çok ötesinde.

Türkçe öğretmenim Kevser Kabalcı bendeki yazma sevgisini destekledi, korudu; beslenmesini, canlı kalmasını sağladı. Onun yüreklendirici, güven verici sözlerini hiç unutmuyorum. Kevser öğretmenime en içten teşekkürlerimi sunuyorum.

Bu kitabın oluşmasında iki kişinin büyük katkısı oldu, benimle sıkı tartışmalara girdiler, yapıcı ve yerinde önerileriyle kitabın şimdiki halini almasını sağladılar.

Biricik yavrum Ceren'e ve tüm huysuzluklarıma, aksiliklerime karşın ona duyduğum sevgiden vazgeçmeyen eşim Şule'ye teşekkür ediyorum.

Son olarak öykülerimin kahramanlarına teşekkür ediyorum. Onlar olmasa kitabın oluşması düşünülemezdi..

Abidin Sönmez Hisarcık Köyü'nde dünyaya geldi, çocukluğu ve ilk gençlik yılları Antakya'da geçti. Öğrenimini Ege Üniversitesi'nde tamamladı. İstanbul'da özel bir kuruluşta yönetici.

İçindekiler

YAŞLI ADAM VE ÇOCUK

Dağa doğru giden ince patikanın üzerindeki harman çadırının altındaydılar. Yaprakları yer yer kurumuş, uzun, yabani zeytin dallarından yapılmıştı çadır. İğreti bir şekilde uçları birleştirilmiş kalın ve uzun dallardan. Burası köyün üst ucuydu.

Yaşlı adamı buraya çeken, Ağustos sıcağında ancak harman yerinde bulabileceği serin esintiydi. Bu düzlük, alan esintili olduğu için harman yeri olarak kullanılıyordu zaten. Çocuk ise yaşlı adamın yaptıklarını merak ettiği için buradaydı.

"Kaylün mü? Kaylün nedir?" diye sordu çocuk çekinerek. Yaşlı adam bir süre sessiz kaldı, sonra ağır ağır yanıtladı çocuğun sorusunu:

"Bunun haznesine tütün doldurur, üstten parmağınla bastırırsın iyice. Sonra tütünü ateşle tutuşturur yakarsın. Öteki ucundan içine hava çekersin, nefes alır gibi.

Böylece sigara içmiş olursun," diye tane tane açıkladı. Zorlukla konuşuyordu. Konuşması o kadar yavaştı ki, söyleyeceklerini bitirmesi yıllar alacak gibi gelmişti çocuğa. Sözcüklerin arasında uzun dinlenme molaları vardı. Konuşurken çocuğun yüzüne bakmıyordu. Tüm dikkati yapmakta olduğu işteydi. Yaptığı açıklamanın işe yarayıp yaramadığını görmek için bile ona bakmamıştı. Çocuğun cevabı yeterli bulup bulmadığıyla ilgilenmiyordu, bu apaçık ortadaydı. Gözünü elindeki kısa incir ağacı dalının üzerinden ayırmıyordu. Sapının yarısı kopmuş eski bir çakı ile dala biçim veriyor, sağını solunu düzeltiyordu; yaşlı bir kaplumbağadan bile daha yavaş hareketlerle. Yüzü, elleri kırışık içindeydi. Ona baktığınızda bu kadar çok kırışıklık bir insanda nasıl olabilir, diye hayret ederdiniz. Çocuk büyüyüp doğa belgeseli izlemeyi bir tutku haline getirdiği sıralarda, ne zaman bir kaplumbağa izlese, onun kırışıklıkları gelecekti gözünün önüne.

Elindekine incir dalı demek zordu aslında. Bir daldan çok, iki dalın ayrıldığı, bir ucu kalın ve toparlak bir köşe olduğunu söylemek daha doğru olurdu. Dike yakın açıyla birbirine bitişik, biri kalın, topluca, diğeri ise daha ince ve uzun iki kol yani. Tam kurumamış, üzerinde yer yer çukurluklar, çıkıntılar bulunan bir garip çomak. "Kaylün"ün "pipo" anlamına geldiğini henüz bilmiyordu çocuk, sonra öğrenecekti. Pipo diye bir şeyin varlığından haberdar olduktan sonra.

Çocuk büyük bir dikkatle onu izliyordu. Hafifçe yana yatırdığı şapkasını, elinin tersiyle gözlerini ovuşturmasını, yüzüne konan sinekleri kovalamasını, ucu kıvrık bir teli kullanarak incir çomağının ortasındaki özü dikkatle çıkarmasını, özü çıkardıktan sonra kanalın temiz olduğundan emin olmak için her iki tarafından hava üflemesini...

Fakat izlerken yoruluyor, sıkılıyor, bir sonraki işlemi merak ediyordu, çünkü yaşlı adam bütün bunları olağanüstü ölçüde yavaş yapıyordu. Sıkılıyor olmasına rağmen yaşlı adamı izlemek ona çok çekici geliyor, her hareketini en ince ayrıntısına kadar zihninde resmediyordu. En çok da, yüzüne gözüne konan sinekleri kovması hoşuna gidiyordu çocuğun. Titrek eli yarı yola ulaşamadan sinek işini bitirip çekip gidiyor, fakat o yine de kovuyordu sineği. Bunu neden yaptığını çok merak ediyordu çocuk. Belki de eli değildi geciken, sineğin kalkıp havalandığını beynine haber veren sinirler yavaşlamıştı belki de.

Bağdaş kurmuş, hayır bağdaş kurmamış, incecik bacaklarını -o kadar zayıftı ki- birbirinin içinden geçirip, düğümleyerek oturmuştu sanki. Bu şekilde oturunca, giydiği bol şalvarın orta bölümü toprağın üzerine yayılıyor, ona geniş bir çalışma alanı sağlıyordu. Bir tezgaha dönüşüyordu şalvar. Bütün işini bu tezgahta görüyordu.

Öne doğru eğildiği için sırtının kamburu daha da belirginleşiyor, kurumuş bir meyvenin sapını andıran kırışık boynu, olduğundan da uzun görünüyordu. Parmakları incecik, çok uzun ve son derece yavaştı. O kadar ki, çocuk onu izlerken yapacaklarını içinden tahmin ediyor ve tahmini doğru çıkınca da seviniyor, kendi kendine eğleniyordu.

Arada bir elinin tersiyle burnunun ucunda biriken saydam salgı damlasını siliyordu. Çocuk her seferinde damlanın yeterince irileşerek yere düşüp düşmeyeceğini merak ediyor, dikkatle damlayı izliyordu. Ama yaşlı adam buna izin vermiyor yetişip siliyordu her seferinde. Hem o kadar yavaş hareket edip hem de damla düşmeden yetişebilmesine hayret ediyordu çocuk.

Yaşlı adam aniden durdu. Başını zorlukla kaldırarak çocuğun yüzüne dik dik baktı. "Sen, çocuk," dedi ona. "Git, bana birkaç incir dalı bul getir. Fazla kuru olmasın. Kuru olanlar bıçağa gelmiyor, kırılıveriyor."

Sonra elinin baş ve işaret parmaklarını güçlükle birbirinden ayırarak yüzüne doğru uzattı. "İşte bak," dedi. "Dallar bunun gibi çatal olsun, anladın mı? Düzgün ve çatal. İyice anladın mı?"

Çocuk anladığını belirtir biçimde başını sallarken çoktan yerinden fırlamıştı bile. Bir süre sonra kucağında bir demet incir dalı ile döndü. Yaşlı adam onun yere bıraktığı dallara alıcı gözlerle baktı bir süre. "Çok güzel," dedi. "Çok güzel." Sonra başını kaldırdı ve çocuğun gözlerinin tam içine bakarak:

"Sen akıllı bir çocuksun." dedi, "İyi yaşa!" diye de ekledi. İyi yaşa derken birinci "i" harfini "e" ile "i" arası bir sesle söylemişti, yerel ağızda kullanıldığı gibi. Çocuk büyüdüğünde aynı söyleyiş alışkanlığını uzun süre atamayacaktı üzerinden.

Çok şaşırmıştı. O güne dek iyi ve güzel bir şey yaptığında büyükler hep "Aferin," ya da "Çok yaşa!" derlerdi ona, oysa yaşlı adam "İyi yaşa," demişti. Bunun nedenini merak etti.

Yaşlı adamla daha sonra birçok kez karşılaştılar. Bayramlarda elini öptü onun. Su istediğinde getirdi. Ne istediyse yaptı. Yaşlı adam her seferinde ona, "İyi yaşa!" diyordu. O "İyi yaşa" dedikçe çocuğun içindeki merak artıyordu. Acaba bu dede bana neden herkes gibi, "Çok yaşa" demiyor diye düşünüyordu. İyi yaşamasını, iyi bir hayat sürmesini istediğini anlıyordu elbette. Ama o neden farklıydı, merak ettiği şey buydu. Çok merak ediyor ama bir türlü cesaret edip de yaşlı adama soramıyordu. Köy yerinde büyüklerin yaptıklarını sorgulamak kolay bir şey değildi. Hele hele yaşlı adam gibi çocuğun gözünde yüz yaşını devirmiş birine böyle bir soru sormak, çocuk bir yana, çocuğun babası için bile zor bir işti. Kalıplaşmış, katılaşmış gelenekleri, büyüklere gösterilen saygı davranışlarını büyüdüğünde de bir türlü anlayamadı çocuk zaten.

Sıcak yaz günlerinden birinde onu kaplumbağa adımlarıyla evine doğru yürürken gördü. Bir süre iki büklüm yürüyüşünü izledi. Bastonunu yavaş ve temkinli hareketlerle ileri uzatışını, ardından kısa ama emin bir adım atışını...

İki adımda bir duralıyor, derin derin soluk alıp veriyordu. Zorlukla yürüdüğü belliydi. Köy çeşmesinin önündeki havuzdan sebze bahçelerine su götüren küçük su kanalının önünde durdu yaşlı adam. Kanalın üzerinden atlaması, daha doğrusu karşıya geçmesi gerekiyordu.

Öyle geniş ve büyük bir kanal değildi ama yaşlı adam

için çok önemli bir işti kanalı geçmek. Bunu kolayca anlayabiliyordu çocuk. Belki çocuk bir sekmede, ne sekmesi normal bir adım atarak bile geçebilirdi kanalı. Fakat yaşlı adamın durumundaki birisi için olay tümüyle farklıydı. Önce hem bedensel hem de zihinsel olarak buna kendini hazırlamalıydı. Ardından bastonunu kanalın tam ortasına dikkatle yerleştirmeli ve o haldeyken dengesini bulmalı, daha sonra da bir ayağını karşı tarafa uzatıp bastonuna abanarak diğer ayağını ötekinin yanına getirmeliydi. Bütün bunları başarabilse bile son hareketin arkasından dengesini koruyabilmesi oldukça zordu.

Onu daha fazla seyretmek içine sinmedi çocuğun. Hemen yardımına koştu. Elinden tutmasını söyledi. Yaşlı adam elinden tutmak yerine çocuğun omuzuna attı kolunu ve gövdesinin yükünü çocuğa verdi. Onu kolayca karşıya geçirdi çocuk.

Yaşlı adamın yüzünde kendisi için son derece zor olan bir işi başarmış olmanın mutluluğu vardı. Başını zorlukla kaldırıp çocuğa baktı. Ve her zaman yaptığı gibi, iki sözcük arasında uzun süre durarak, "İyi yaşa!" dedi ona.

O gün dayanamayıp tüm cesaretini toplayarak sordu çocuk: "Neden herkes gibi 'Çok yaşa' demiyorsun da bana hep 'İyi yaşa' diyorsun?"

Boşta duran elini bastonu tutan öteki elinin üzerine yerleştirdi yaşlı adam. Yüzünde alaycı ama bir o kadar da sevecen bir gülümseme vardı. Yorgun yüz kasları ile tam olarak gösteremediği, belli belirsiz bir gülümseme.

Çocuğun yüzüne daha iyi bakabilmek için başını biraz daha yukarı kaldırmaya çabaladı, yapamayınca vazgeçti bundan. Yeniden önüne bakmaya başladı. Birkaç derin soluk aldıktan ve elleriyle bastonu iyice kavradıktan sonra içini çekerek cevapladı çocuğun sorusunu: "İyi yaşamadıktan sonra," dedi. "İstediğin kadar çok yaşa, beş para etmez."

Çocuk sonraları kendini mutlu hissettiği anlardan bazılarında yaşlı adamı hatırlayacaktı. Söylediği her sözcükten sonra nefesi yetmediği için derin derin soluk alan o yaşlı adamı. Yüzündeki binlerce kırışıklığı, derme çatma bastonunu, siyah ve bol şalvarını, yürürken siyah renkteki şalvarının içinden bile seçilebilen incecik bacaklarını, sürekli iki büklüm dolaştığı halde neden başından düşmediğini merak ettiği kenarları iyice yağlanmış şapkasını, sulanmış gözlerini, burnunun ucunda her zaman var olan berrak, küçük sıvı damlasını...

Onu hiç bir zaman unutmayacaktı. Yaşadıkça daha iyi anlayacaktı ne demek istediğini. Yaşlı adam ona "İyi yaşa" derken bir dileğini söylemiyordu. O iki kelimenin taşıdığı anlam içinde, "Senin iyi yaşamanı isterim, dilerim, arzu ederim" sözcükleri yoktu. Bundan iyice emin olacaktı yaşadıkça. Yaşadıkça yaşlı adamın ona bir dileğini değil, bir önerisini söylediğini anlayacaktı. Emir cümlesiydi yaşlı adamın kurduğu cümle. İyi yaşa! Sakın ama sakın kötü yaşama! Bu kesinlikte ve bu netlikte ilk kez anladığında tüyleri diken diken olmuştu çocuğun –artık çocuk değildi elbette.

"İyi yaşa," derken, "Bu senin elinde olan bir şey. İyi yaşa! Sakın kötü yaşama! Bunu yapabilirsin istersen. İyi yaşamayı seçebilirsin," demek istemişti yaşlı adam. Tıpkı,

"Karşıdan karşıya geçerken her iki yanını iyice kontrol et," ya da hava soğuk ve yağmurluysa, "Palto giymeden, atkını almadan çıkma," der gibi söylemişti bunu. Yaşlı adamın sözcükler arasında verdiği ve kendisine çok uzun gelen molaların her birini, birer öğle tatili gibi yaşayacaktı onu düşünürken.

KOLTUK DEĞNEĞİNİN SESİ

Onunla yeni tanışmıştım. Ortak bir arkadaşımız vardı, o tanıştırmıştı bizi. Öğle yemeğini üçümüz birlikte, yeni aldığımız öğrenci kredilerinin verdiği coşku ve özgüvenle, lokantada yemiştik. Daha sonra da, öğleden sonraki derslere girmemeye karar verip hep birlikte otobüs durağının yolunu tutmuştuk. Okulu ekmiş olmanın verdiği özgürlük duygusu güneşli, güzel bir bahar havasının getirdiği uçarılık ve rahatlıkla birleşince hayat bambaşka oluyordu. Hafta sonu başlıyordu; hem hafta sonu ile yetinmeyecek, resmi bir tatille birleştiği için ardından iki gün de fazladan dinlenecektik, keyfimize diyecek yoktu.

Sol bacağı çocukken kalça hizasından kesilmişti, koltuk değneği kullanıyordu. Çok rahat görünüyor, şakalarımıza gülüyor, arada bir o da bizi güldüren şeyler söylüyordu. O kadar doğal davranıyordu ki, bacağının olmayışı sanki onu hiç etkilemiyordu. Oysa olgun yüz anlatımının altında, küçük yaştan beri birlikte yaşadığı koltuk değneklerinin derin izleri görülebiliyordu. Arkadaşım ve ben ona fiziksel durumunu anımsatacak söz ve davranışlardan özellikle kaçınıyorduk. Zaman zaman konuyu değiştirmemiz ya da istenmeden söylenmiş bir sözü aslında başka bir şey anlatmaya çalışmışız gibi düzeltmemiz, değiştirmemiz gerekiyordu. Ama genel olarak başarılı sayılabilirdik, onun alınmasına yol açabilecek şeyler söylemiyor, gücenmesine ya da içerlemesine sebep olabilecek davranışlardan kaçınıyorduk.

Durakta bir süre bekledikten sonra otobüs geldi. Kalabalık değildi, ayakta duran kimse yoktu ama koltukların hepsi de doluydu. Bileti kutuya atıp, öğrenci kimliğimizi sürücüye gösterdikten sonra güle oynaya arka sıralara ilerledik. Ona özellikle yardımcı olmamıştık, kendi başının çaresine bakabiliyordu, daha da önemlisi, 'başının çaresine bakabildiğini bizim bildiğimizi' bilmeliydi. Kitaplarıyla koltuk değneklerini kolunun altına sıkıştırmış, aynı kolu ile tutunma demirini sıkıca kavramış, boşta kalan eliyle biletini atmış ve, "Tamam tamam, geç," demesine aldırmadan öğrenci kimliğini çıkarıp sürücüye göstermişti. Bütün bunları son derece alışkın hareketlerle yapmıştı.

Öğrenci kimliğini sürücüye göstermek onun için çok önemliydi. Kendisine ayrıcalık tanınmasından hoşlanmıyordu. Fiziksel durumundan yararlanmak istemiyordu. Böyle bir izlenime yol açmak ise asla istemeyeceği bir durumdu. Bunları daha sonra ondan öğrenecektim.

Sürücünün "Tamam tamam, geç," demesi onun sözlüğünde, 'Sen yardıma, desteğe ihtiyacı olan bir insansın, sana anlayış gösteriyorum, seni diğer insanlardan farklı buluyor ve ona göre davranıyorum. Bana öğrenci belgeni göstermen gerekmez, sana bu kadarcık bir kıyak da yapayım artık,' anlamına geliyordu belki de, kim bilir.

Aramızda konuşurken, çaktırmadan, göz ucuyla onu süzüyorduk. Yanımıza doğru düşmemeye çalışarak ilerlediği sırada, oturan bir kaç kişi yerini ona vermeye yeltenmiş, ama o nazik bir biçimde geri çevirmişti.

Ayakta durabilmesi için iki eliyle tutunması gerekiyordu, özellikle virajlarda daha da önemliydi bu onun için. Bu arada koltuğunun altına sıkıştırdığı kitaplarını ve koltuk değneklerini de düşürmemeliydi. Özetle işi zordu, hem de çok zor. O ise bu zorluğu ya gerçekten hiç yaşamıyordu ya da belli etmiyordu. Bu konuda aşırı bir çaba gösterdiğini düşündüren herhangi bir ipucu yakalayamamıştım. Kitaplarını bir çantaya koymayışını bir başkaldırı olarak yorumlayacaktım daha sonraları, hayatın onu karşı karşıya bıraktığı zorunluluklara karşı bir başkaldırı. Çanta bulundurmayışını zorlukları yenebildiğini gösteren bir simge olarak görüp, kendisiyle gurur duyuyor olabilirdi.

Üçümüz koyu bir sohbete daldık. Coşkuluyduk. Üniversitede okuyorduk. Çocukluk dönemini çoktan atlatmış, ilk gençlik yıllarımızın ele avuca sığmaz hafifliğini yaşıyorduk. Yüzümüzü kaplayan sivilceler çoktan yok olmuş, yalnızca alnımızda, saçlarımızla kolayca gizleyebileceğimiz yerlerde bir iki tane kalmıştı.

Otobüs duraklara uğradıkça yolcu sayısı artıyordu. Günün başka bir saati olsaydı ayakta durmamız bile güç olabilirdi. Oysa şimdi doluydu ama tıklık tıklım değildi. Otobüs camlarının üst kısmındaki yarı açık küçük pencerelerden uğultulu bir esinti doluyordu içeriye. Onu izlemek, yaptıklarını ayrıntılarıyla görmek istiyordum, çünkü neyi ne kadar becerebildiğini, neyi nasıl kotardığını merak ediyordum. Bir yandan da, onu göz ucuyla izlediğimin farkına varıp incinecek diye endişeleniyordum. Daha önce farklı bir bedensel özelliği olan arkadaşım olmamıştı.

Çok rahat görünüyordu. Kitaplarıyla koltuk değneklerini bir kolunun altına iyice sıkıştırmış, tutunma demirini sıkıca kavramıştı. Buna alışkın olduğu belliydi. Hatta arada bir esintinin dağıttığı saçlarını düzelttiği bile oluyordu. Bunu bilinçli yapmıyorsa bile hareket halindeki bir otobüste tek bacağıyla ayakta durabildiğini kanıtladığı için seviyor olmalıydı böyle yapmayı.

Önünde durduğum koltukta oturan yolcu kalktı, inmek için kapıya doğru yöneldi. Ben hemen oturdum, doğrusu böylesine şans denirdi, çünkü ineceğimiz durağa daha uzun bir yolumuz vardı. Bir an oturmayıp yerimi ona vermeyi düşünmedim diyemem. Fakat kararlıydım ve ödün vermeyecektim. Duygularıma yenilmemeli, onu incitmemeliydim. Yardıma muhtaç birisi olduğunu değil ona hatırlatmak, aklıma getirdiğimi bile belli etmemeliydim. Aldırmaz bir biçimde boşalan yeri kapmam ve oturuvermem onu mutlu etmişti. Bunu yüzünden okuyabiliyordum.

Arkadaşım ise yaptığıma şaşırmıştı. Aslında onun durumundaki insanlara nasıl davranılması gerektiği konusunda o da benim gibi düşünüyordu, biliyordum, çünkü daha önce bana ondan söz ederken uzun uzun bu tür konuları konuşmuştuk. Fakat şimdi, 'Bu kadar da olmaz ki, vur dedikse öldür demedik, oturmadan önce koltuğu ona teklif etmeliydin,' diye içinden söylendiğini işitir gibi oluyordum. Yaptığı kaş göz işaretlerinden bunu anlıyordum; kalkmamı ve yerimi ona vermemi söylemeye çalışıyordu. Önce anlamazlıktan geldim. Ama üsteliyordu. Bir yandan da yaptıklarını onun fark etmemesi için çabalıyordu. Fakat aniden bize doğru dönüp bakınca yakalandık. Arkadaşım kızardı. Durumu kurtarmak için açıkça düşüncesini söyledi:

"İstersen sen kalk da o otursun, yolumuz oldukça uzun!" dedi.

Ben hemen şaşırmış bir yüz ifadesi takındım, "Bir şey mi oldu?" dedim. "Kendini iyi hissetmiyor mu?" Sonra ona dönerek iyi olup olmadığını sordum. "İyiyim, iyiyim," dedi, kalkmamamı, oturmamı istediğini belirtir bir biçimde elini sallayarak.

Rol yapmıştım. Arkadaşım da, o da bunu fark etmişlerdi. Ya da ben öyle düşünüyordum. Fakat yaptığımdan rahatsızlık duymuyordum. İçimden öyle geldiği için öyle davranmıştım.

Bir süre ona bakamadım. Üçümüz de susuvermiştik. Sonra göz ucuyla bir kaç kez onu süzdüm. Otobüs penceresinden dışarıya, görünebilir ufukta yakaladığı bir noktaya bakıyordu, düşünceliydi. Gözleri dolu dolu olmuştu. Mutluydu, bunu sezinleyebiliyordum. Onun mutlu olması beni sevindirdi. Kendimle gurur duymuştum. Belki de her şeyin farkındaydı. En başından beri ona karşı olan davranışlarımızdaki istem dışı abartıyı sezinlemiş olabilirdi. Bazı sözcükleri titizlikle seçiyor olmamızı, gerekli gereksiz uzun açıklamalara girişmemizi kendi durumuyla ilişkilendirdi mi bilmiyorum. Ama bence bağlantı kurmuş olsa bile böylesini öbür türlüsüne yeğliyordu. Kim bilir kaç kez önerilen bir yardımı istemeye istemeye kabul etmek zorunda kalmış ve kendini berbat hissetmişti. İnsanların onu korumaya, kollamaya çalışmasından kim bilir kaç kez rahatsız olmuştu.

Kent merkezine girip ineceğimiz durağa yaklaştığımızda otobüs boşalmış, ayakta kimse kalmamıştı. Tek kişilik koltuklarda arka arkaya oturuyorduk. Her üçümüzün de biraz garip hissettiğimiz, daha doğrusu ne hissedeceğimizi bilemediğimiz o tatsız olaydan bu yana hiç konuşmamıştık. Motor gürültüsünden ve arada bir işitilen otomobil klaksonlarından başka ses yoktu. Bir de otobüs sarsıldıkça tıkırdayan koltuk değneklerinin sesi... Bu sesi seviyordum.

EZGİYLE GELEN

Şuleme

Milliyet Sanat Dergisi -
Abdi İpekçi Öykü Yarışması, Mansiyon

Sürücü aslında radyonun o istasyonunu açmayı iste-
memiştir. O ezgiyi siz radyo haberleri saati geldiği,
sürücü, yolcuların dinlemesi için radyoyu açtığı ve
uygun istasyonu bulmaya çalıştığı sırada işitmişsinizdir.
Yalnızca birkaç saniye sürmüştür. Fakat yeterlidir. O bir-
kaç saniyelik tıngırtı sizi almış, önce yerden yere vurmuş,
daha sonra gözpınarlarınızın eşiğinde biriken yaş damla-
cıklarının koyu mor ve kahverengi dağ yamaçlarına vu-
ran gün ışığının katkısıyla oluşturduğu minik, pırıl pırıl
ve rengarenk dairelerden birine sığdırabilmiş, sizi geçmi-
şinize ve geleceğe ilişkin düşlerinize tutsak etmiştir.

Önce yanık, ılık, sade ve tanımı güç bir hüzün du-
yumsadınız. Pencereden dışarı bakmaya, hızlı hızlı yürü-
yen telefon ve elektrik direkleriyle, tek tük rastladığınız
ağaçları izlemeye koyuldunuz. Alt dudağınızın iç yüze-
yinden iri bir bölümü dişlerinizin arasına almış, hatırı
sayılır ölçüde güçlü, neredeyse canınızı yakacak kadar

bastırarak sıkmaktasınız. Çeneniz titremekte. Burnunuz, dışarı akıtmaya çekindiğiniz gözyaşınızla dolu, aktı akacak. Bu arada boğazınızda bir yumruk. Yutkunup, boğazınızı kurtaramıyorsunuz.

Sürücü, radyodan umduğunu bulamamış, kasetçalara sevdiği kaseti çoktan yerleştirmiştir. Sizin kafanızda o ezgi, yakıp tutuşturan o ezgi. Kasetten gelen sesi işitmiyorsunuz bile. Arada bir karşıdan gelen bir otobüs ya da başka bir aracın hızla yaklaşıp yok olan gürültüsü, ve o ezgi. Siz yoksunuz artık. Bu otobüsün içinde sizden eser yok. Yanınızdaki koltukta oturan kişi, iki kişilik yerde rahat rahat yolculuk ediyor.

Otobüsün penceresinden kuşlara, kuzulara, yorgun argın evine dönen çiftçilere bakıyorsunuz sözüm ona. Oysa görmüyorsunuz. Bilmediğiniz, görmediğiniz bir noktaya gözlerinizi bağlamış dinlendirmektesiniz. Yalnızsınız. Yalnız olduğunuzu bilmek hem korkunç hem de rahatlatıcı sizin için. İç çekmektesiniz. Bir eliniz çenenizin altında. Dirseğinizi, bacak bacak üstüne attığınızda üstte kalan dizinizin üzerine yerleştirmişsiniz. Onu düşünüyorsunuz. Evet, düşündüğünüz ondan başkası değil. Birlikte dolaştığınız kırları, izlediğiniz sinema filmlerini, uzun konuşmalarınızı... Onun kendisi, saçları, endamı, gözlerisiniz. Yuvarlak yakalı gömleğinin ince dantel işlemelerindeki desenlere varıncaya kadar onunla dolusunuz. Atan sizin yüreğiniz değil, onun.

Sonunda yutkunabiliyorsunuz. Sizi bu denli etkileyen o ezgiyi bir süre için aklınıza getirmemeye çalışıyorsunuz. Yeni bir sigara daha. Henüz taşıt araçlarında ve kapalı alanlarda sigara yasağı konulmamıştır. Oysa her yakışınızda tütünden sonsuz rahatsız oluyorsunuz. Ağzınızda bıraktığı tat korkunç. Pişmemiş taze fasulye çiğnemiş gibi ağzınızın içi. Öyle metalik, öyle acı.

Güneş, artık eskisi gibi otobüs dönüşlerinde ensenizi yakmıyor. Bir yaz akşamı. Ağaç gölgeleri kendi boylarının birkaç katı. Birden yanınızdakinin uyarısıyla irkiliyorsunuz. Sürücü yardımcısı kolonya sunuyor. Bir an duralıyorsunuz. Sonra avuçlarınızı uzatıp, adamın döktüğü kolonya ile ellerinizi yüzünüzü serinletiyorsunuz. İyi geliyor. Rahatlıyorsunuz. Otobüs birazdan duracaktır. 'Yarım saat yemek ve ihtiyaç molası'dır. Herkesten önce davranıp kendinizi dışarı atmak ve temiz havaya ulaşmak her zaman çekici gelmiştir size.

Ondan tam anlamıyla koptuğunuzu görmek ne kötü. Oysa sizi anlamalıydı. En azından bir çaba gösterebilirdi bunun için. Neden bu denli katı olmuştu ki. O akşam, her şeyin sona erdiğini ilk kez gördüğünüz, anladığınız o akşam ne çok acı çekmiştiniz. Bir yalvarmadığınız kalmıştı ona. Size, tutucu olmamanızı söylemiş, bir 'odun' olarak geldiğiniz bu dünyadan, hiç olmazsa biraz olsun yontularak gitmeye çaba göstermenizi tavsiye etmişti. Şimdi anımsayamadığınız bir konuda uzun, çok uzun tartışmıştınız. Onun söylediklerine kırılmamıştınız. Sözleri hakaret dolu olsa bile, size hiç kırıcı gelmezdi. Çünkü onu kendinizden bir parça, etiniz, tırnağınız, saçınız, yüreğiniz gibi benimsemişsinizdir. O size aittir, siz ona. O sizsiniz, siz de o. Kırılmak olanaksızdır.

Yeniden hüzünleniyorsunuz. Tablosunu herhangi bir

yerde görebileceğiniz, ağlayan, daha doğrusu ağlamaklı bir yüz anlatımıyla bakan o çocuğun resmi geliyor aklınıza. Yuvarlak yüzlü hani, kahverengi ceketi olan. Saçından ince bir perçem alnına düşmüş. Dudakları, burnu, kaşı birer destan. Kendince düşüncelere dalmış. Ağzının her iki yanında dudak köşeleri hafif, ama çok hafifçe aşağı düşük. Korkmuş, ne yapacağını, nasıl yardım isteyebileceğini kestiremeyen, kıvılcım gözlü çocuk. Kendinizi o çocuğun yerine koyuyorsunuz. Böyle yapmak sizi rahatlatıyor. Çocukluğunuzdaki anılarınız gözünüzün önüne geliyor bir bir.

Onu hiç, ama hiç bağışlamayacaksınız. Bundan çok emin olduğunuzu düşünüyorsunuz. Zaten en başından yanlıştı. Uyuşan en ufak bir zevkiniz, ortak bir tutkunuz yoktu, ikiniz aynı anda aynı şeye yanlış veya doğru dememişsinizdir. Tümüyle farklı iki kişinin tam bir sevgiye ulaşması mümkün olabilir mi? Yanlıştı canım. Hiç başlamamalıydı.

Onu ne çok kıskanırdınız. Her şeyden, herkesten ölesiye kıskanırdınız. O ise birçoğunu saçma, yanlış ve gereksiz bulurdu. Saçlarını kıskandığınız o günü hatırlıyorsunuz. Bir masada topluca otururken rüzgar hızlıca esmiş, onun saçlarını yanında oturan ortak arkadaşınızın yüzüne savurmuştu. Kıskançlıktan donmuştunuz. Saçlarına sahip olmalıydı. O an bir şeyleri parçalamak, yıkmak, yok etmek geçmişti içinizden. Ona öyle bakmıştınız ki, kızcağız neye uğradığını şaşırmış, ne olduğunu anlayabilmek için uzun uzun sizi izlemiş, soran bakışlarla sizi süzmüştü. Sonrasında saatler dolusu tartışmalar... Biraz daha dikkatli olabilirdin! Ben rüzgarın ne zaman ve nereden eseceğini nasıl bilebilirim ki! O zaman o kadar yakın oturmasaydın! İyi artık! Oturacağım uzaklığı da önceden ölçeyim mi yani! Sonunda karşılıklı, yüksek perdeden, felsefi içerikli, uzun cümleler ve tartışma doğuran konuyu çoktan unutmuş olmanın verdiği rahatlama. Karşılıklı özür dilemeler, üzülmeler, sarılmalar... Belki de yalnızca, kim bilir, düşünceleriniz değil de, düşünüş biçimleriniz benziyordu, sizi bu bağlamıştı birbirinize.

En başından yanlıştı. Ne siz öyle birini sevebilirdiniz, ne o sizin gibisini. Şükür ki daha ileriye gitmemişti. Yüzüktü, sözdü, nişandı; ortada yoktu bunlar. Evet, iyi oldu. Böylesi en doğrusu. Biraz geç oldu belki ama, iyi oldu, tam zamanında sayılır. Tüm yaşamınızı bir arada geçirme düşüncesi şimdi boş bir hayal olarak anılarınızın arasında. Olacak şey değil. Tam bir macera olurdu bu. Neyse, geçti artık. Her şey bitti. Rahatsınız.

Artık karanlık yerleşmektedir. Moladan sonra otobüs daha sessiz. Yemekler yendi, tekrar otobüse binildi. Sürücü yardımcısı gözünü ovalayarak su servisi yaptı. Otobüs motorunun gürültüsü daha anlaşılır bir homurtu olarak işitilebiliyor şimdi. Sürücü, yolcuların uyuyabileceğini göz önünde bulundurarak, kasetçalarını yalnızca kendisinin işitebileceği kadar açmıştır. Artık pencereden dışarıdaki dünyayı göremiyorsunuz. Dikkatli baktığınızda tek tük ev ışıkları seçilebiliyor ancak. Göz ucuyla yanınızdakini süzüyorsunuz. Kırk, kırk beş yaşlarında bir beydir. Çoktan uyuyakalmıştır.

Yüreğinizde anlamsız bir sıkıntı var. Ne çok çalışsanız da onu unutmanız söz konusu değil. Onu duyumsamak, içinizden onunla konuşmak, saçlarının hareketini izlemek, bir oya gibi beyninize resmettiğiniz gözlerini, bakışlarını...

Kim bilir ne yapıyor şimdi. Oturmuş kitap okuyordur belki de. Acaba çay içiyor mu? Günün kaçıncı sigarasındadır? Uyumuş mudur? Yemeğini yedi mi akşam? Öğleden sonra yağmur yağdıysa ve yanında şemsiyesi yoksa ıslanmış mıdır..?

Kendinizi onu düşünmemeye zorlamıyorsunuz. Sadece başaramayacağınız için değil. Sevgi kendiliğinden oluşmalıdır eğer oluşacaksa. Ve bitince de yine kendiliğinden yok olmalıdır. Buna inanıyorsunuz. Yoksa kalıcı olmaz, yapay olur.

Uzun uzun bıyığınızı kemiriyor, sonra vazgeçiyorsunuz. Size kaç kez söylememiş miydi bunu yapmamanızı, çok sinirlendiğini. Oysa şimdi o yok. Dilediğinizi yapabilmelisiniz. Ama olsun. Bıyık kemirmek zaten güzel bir alışkanlık değil.

Okuyacağınızdan son derece emin bir şekilde otobüsün hareketinden az önce aldığınız dergiler, gazeteler önünüzdeki koltuğun arkasındaki fileli bölmede olduğu gibi duruyor. Nedense canınız istememiştir. Onun yerine düşünmeyi, sigara içmeyi ve dışarıdaki dünyayı seyre dalmayı yeğlemişsinizdir. Sonra o ezgi. İşte yine kulaklarınızda ve beyninizde. Bakışlarınız birdenbire donuklaşıvermiştir. Derin derin iç çekme gereksinimi. Ama daha önceki duygulanım yok şimdi. Onun yerini bir tedirginlik, hafif bir korku ve üzüntü almıştır. Onu kaybetme korkusu denilebilir mi ki buna?

Yol kenarındaki yansıtıcılı işaret direkleri hızla ve birbiri ardına gözden kayboluyor. Siz her an ondan biraz daha uzaklaşıyorsunuz. Birdenbire karar vermiş, ne bulduysanız valize tıkıştırmış, bulduğunuz ilk taksiye atlayıp otogara gelmiş ve yine bulduğunuz ilk otobüsle o kentten, onun bulunduğu, havasını soluduğu, yaşadığı o kentten kaçar gibi uzaklaşmışsınızdır. Orada bir an bile kalmak size korkunç gelmiştir. Sanki ondan ürkmüşsünüzdür.

Başaracaksınız. Bundan eminsiniz. Onu unutmaya kararlısınız. Bunun da en kolay yolu uzaklaşmak.

Artık iyice gece olmuştur. Dışarıda karanlık her yönüyle egemen. Günün yastığa çeyrek kala zamanı. Yanınızda oturan adam uykusunu çoktan yarıladı bile. Sizin işiniz sevdayla. Zamanı durdurabilmeyi ne çok istediğinizi düşünüyorsunuz. Uykunuz var aslında, günlerdir gözünüzü bile kırpmadınız sayılır. Fakat uyumak aklınıza geldikçe gülüp geçiyorsunuz.

Ezgiyi unuttuğunuzu fark ediyorsunuz. Aradan geçen birkaç saat içinde bütünüyle unuttunuz ezgiyi. Anımsamaya çalışıyorsunuz. Olmuyor. Sık sık olur bu. Sizi çok etkileyen, çok duygulandıran müzikleri unutmak, çok istemenize karşın hatırlayamamak. Sizin için yeni bir şey değil.

Ne garip. Önce unutmaya, şimdi de hatırlamaya çalışıyorsunuz. Yoksa bu bir açıklama mı? Sizin için, yapılması zor olan şeylere çaba göstermek mi yaşamak?

Derken o geliyor yine. Kar beyazı gömleği, yandan

yırtmaçlı, gri-siyah kareli eteği ve insanın boş bulunarak bir şey yaptığı, sonrasında da farkına varıp, "Tüh, hay Allah!" dediği andakine benzer gülümsemesiyle o. Her bir teli tam istediğiniz yerde, hafif dalgalı saçlarıyla, gözlerinin tanımı zor ve bulutları andıran ışıklarıyla geliyor, yerleşiyor benliğinize. Uysal, sessiz ve tepkisiz karşılıyorsunuz onu. Ürkütmemeye çalışıyorsunuz. Ezgi hâlâ görünürlerde yok.

* * *

Her şey ne çabuk olup bitmiştir. Sabahın ilk ışıkları yeni yeni sökün ederken, otobüsün girdiği küçük kasabada sürücü, yardımcısını derin uykusundan uyandırmış, sorduğu her soruya başınızı evet anlamında sallayarak yanıt vermiş, ensesini kaşıya kaşıya çıkarıp verdiği valizinizi kapıp, yolun karşı tarafına geçmiş, henüz açık olmayan dükkanların önünde bir süre ayakta beklemiş, daha sonra, yaptığınız işaret üzerine duran otobüse kendinizi atmış, bir önceki akşam öfke, üzüntü ve karmakarışık duygularla apar topar ayrıldığınız kente doğru yol almaya başlamışsınızdır. Oturduğunuz koltuğun diğer otobüstekinin aksine biraz daha geniş ve rahat olduğunu hissediyorsunuz. Gözleriniz, yolun orta şeridinin görünmez olduğu noktaya denk düşen ufuk çizgisi üzerine kenetlenmiştir. Sürücünün sağ ayağısınız, gaz pedalına basar gibi basıyorsunuz geçmek bilmeyen dakikaların üzerine...

Şu anda mışıl mışıl uyuyor olmalı. Sizi aramıştır belki. Bulamayınca endişelenmiş midir, kim bilir...

ZAFER'İN ÇAKMAĞI

Günlük işlerini tamamlamış, arkadaşlarıyla birlikte, öğle yemeği için çarşı içlerindeki küçük bir lokantaya girip oturmuşlardı. Küçük, 'salaş' yerleri oldum olası çok severdi. Her şeyin büyük, lüks ve en kalitelisinden olduğu dev anası gibi lokantalarda sıkılırdı. Kendini yabancı hisseder, diken üstünde oturur gibi otururdu öyle yerlerde. Bir an önce çıkıp gitmek, kurtulmak isterdi. Hangi sebeple olursa olsun öyle ortamlarda bulunan insanların davranışlarında bir yapaylık ve gerçeklikten uzaklık olduğunu düşünürdü hep. İnsanlar bulundukları yere ayak uydurmakta zorlanırlarsa, davranışları kendilerine ait olmamaya başlar. Bir kararsızlık, bir bocalama içine giriverirler.

Lokanta çok dolu değildi; sadece birkaç masada müşteri vardı. Kenarda bir masa seçip yerleştiler. Her zaman yaptığı gibi görüş alanı en geniş olan, ortamın tamamını görebileceği bir sandalyeye oturdu. Arkadaşlarının kendisine konuk gözüyle bakmasından da yararlanmıştı. Ona seçme önceliğini tanımışlardı çünkü.

Çevredeki dükkanlardan yükselen, gelip geçeni alışverişe yüreklendirici tezgahtar sesleri, lokantadaki müşterilerin kendi aralarındaki konuşmaları ve zaman zaman tüm diğer sesleri bastırarak varlığını belli eden araç klaksonları, çarşıda günün en canlı saatlerinin yaşanmakta olduğunu belli ediyordu. Tüm bu gürültü patırtıya rağmen adının Zafer olduğunu sonradan öğrendiği garsonu fark etmesi gecikmedi. O lokantaya gelip de Zafer'i fark etmemek olanaksızdı zaten. İster kenarda bir masada oturun, isterse görüş alanı en geniş olan yere yerleşin, eğer o lokantadaysanız, Zafer'i hemen algılardınız.

Zafer için her şey müşteri demekti, gözlerinden okunabiliyordu bu. Küçük bir lokantada garsonluk yapıyordu ama tavır ve davranışlarından, işine gösterdiği özenden, hareketlerindeki serilik ve düzenlilikten, onun sıradan bir garson olmadığını anlamak hiç zor değildi. Cıva gibi derler ya, işte öyleydi. Bir masaya su yetiştirirken aynı anda diğerinden siparişleri alıyor, bu arada kapıdan girenleri de buyur ediyordu. Ateş parçası gibi bir şeydi Zafer. Yirmili yaşların ortalarında olduğu söylenebilirdi. Esmer, güleç Anadolu yüzü, kısa kesilmiş saçları ve hızlı yürümesi belli ediyordu yirmili yaşlarda olduğunu.

Hareketleri çok seri ve amaca yönelikti. Bir şey yaparken kafasında bir sonraki işini planlıyordu adeta. Masanın birine bir tabak getirirken diğer masaya göz atıyor, oradaki bir eksikliği fark edip aklına yazıyor, bu arada,

"Bakar mısın?" diye gelen bir isteğe, "Hemen geliyorum," yanıtını da yapıştırıveriyordu. İşini önemsediği her halinden belliydi, önemsemek bir yana, sanki kendini kaybediyordu çalışırken. Kazandığı para öyle çok da ahım şahım olmasa gerekti, böyle bir işyerinde taş çatlasa asgari ücret alabilirdi insan. Ama sanki asgari ücret değil, çuvalla para kaldırıyordu her masadan. Öylesine canlı ve istekliydi.

Zafer'in seri hareketlerini izlerken bir süre önce gördüğü sürücü yardımcısını hatırladı. Ağabeyi ile birlikte, bir yaz günü, kentin ana caddelerinden biri üzerindeki şehirlerarası otobüs firmasına ait büronun önündeydiler. Otobüsün gelmesini bekliyorlardı, ağabeyini yolcu edecekti. Bekleyen başka insanlar da vardı. Herkes valizini çantasını bir kenara koymuş, kimi ayakta duruyor, kimi kaldırımdaki taşların üzerinde oturuyordu. Yolculukların iyice arttığı bir dönemdi. Otobüs gelip kaldırım kenarında duruncaya kadar olağandışı bir şey yoktu ortada. Ön kapı açılıp sürücü yardımsının ütülü beyaz gömleği ve güleç yüzü aynı anda göründüğünde, ister istemez bütün dikkatler ona yönelmişti.

Nasıl da mutlu bir havası vardı adamın. Büyük bir şevk ve coşkuyla inmişti otobüsten. Yüzünde güller açıyordu. Yansıttığı sevinci, ışıltıyı anlatmak kolay değildi. Yüzündeki her noktadan bir zafer çığlığı, bir sevinç haykırışı yükseliyordu sanki. İçi içine sığmıyordu, bu açıktı. Kendini dünyanın en tepesinde gördüğü, "İyi ki yaşıyorum," diye düşündüğü kesindi. Otobüs sürücü yardımcılığı yapmıyordu da sanki kendi düğününü yapıyordu. Dünyanın tüm olanakları emrine verilmiş ve bu olanakların hangisinden yararlanacağına bir türlü karar veremeyen bir prensti adeta. Yüzündeki mutluluğu ifade edecek başka bir şey gelmiyordu insanın aklına.

Bir otobüste sürücü yardımcılığı yapmak insanı bu denli mutlu edecek bir iş olamazdı elbette. Ama o, kırklı yaşlardaki o adam çok mutluydu, gözlerinden ışıklar saçıyordu. Çok parası yoktu, bunu kesin olarak söyleyebilirdiniz ama yaşadığı her saniyeden olağanüstü bir zevk aldığı her halinden belliydi.

Masadan masaya koşturup duran Zafer'in hareketlerini sürücü yardımcısının hızlı ve amaca yönelik hareketlerine benzetti. Bir an için ikisinin aynı kişi olduğu fikrine kapıldı. sonra gülümsedi kendi kendine. Sürücü yardımcısı orada bekleyen yolcuları ve uğurlamaya gelmiş yolcu yakınlarını kucaklayıveriyordu tavır ve hareketleriyle. Aynı anda herkesin birden gözlerinin içine bakıyor gibiydi. Herkesi bir anda kavrayıvermişti. Hızlı adımlarla şirket bürosuna doğru yürürken, gülümseyerek. "İyi akşamlar," dedi bekleyenlere. Valizini otobüse yaklaştırmaya çalışanları kibarca engelledi. "Ben birazdan hepsini alacağım, siz hiç yorulmayın lütfen," dedi. Bunları söylerken yüzü tabak gibi açılmış bir ayçiçeğini andırıyor, iyimserlik ve sevinç saçıyordu. Hissediliyordu bu, hem de çok net olarak.

Yolcular yerlerini alıp otobüs hareket ettikten sonra içinde bir rahatlama olduğunu fark etmişti. Çünkü sürücü yardımcısı o otobüse karşı, daha doğrusu o yolculuğa karşı bir güven yaratmış, yolculuğun sorunsuz geçeceğine ilişkin bir öngörü oluşturmuştu onda. Ağabeyi rahat bir yolculuk yapacak ve gideceği yere sağ salim ulaşacaktı, bundan emindi. Yolcu uğurlamaya gittiği zamanlarda hissettiği o belli belirsiz tedirginliği bu kez yaşamamıştı.

Yaptığı işin, çalıştığı ortamın bir insanı bu kadar iyi hissettirmeye yetmeyeceği ortadaydı. Büyük olasılıkla iyi bir haber almıştı o gün, ya da sevdiklerine kavuşmuştu, olsa olsa buna benzer bir sebepten dolayı o denli mutluydu. Sebep ne olursa olsun özdeğeri, kendine güveni yüksek bir insandan söz edilecekse. o sürücü yardımcısı akla gelmeliydi.

Aradan bir süre geçtikten sonra sürücü yardımcısı ile Zafer'i, birbirinin aynı iki kişi olarak hatırlayacaktı. Kimi zaman sürücü yardımcısı, kimi zaman da Zafer gelecekti aklına. Mutlu olmaktan, hayattan zevk almaktan söz açıldığında Zafer ve sürücü yardımcısı tek bir kişiye dönüşecekti belleğinde.

Zafer'in bir müşteriyle tutuştuğu koyu sohbete kulak kabartıyor, sohbetin konusunu keşfetmeye çalışıyor, aynı zamanda masadaki arkadaşlarının söylediklerine de kayıtsız kalmamaya çabalıyordu. Lokantada her şey yolundaydı, insanlar güle oynaya, bağıra çağıra yemeklerini yiyorlardı. Zafer oradan oraya koşturuyor, bir müşteriye lavabonun yerini tarif ederken, yan gözle hareketlerini izlediği bir başka bir müşterinin sigarasını yakıyordu. Her zamanki gibi çok seriydi hareketleri. Hatta o masadakiler, "Güneyin en hızlı çakmak çekeni," diyerek takılmışlardı ona.

Onu dikkatle izlerken gözü Zafer'in elindeki çakmağa ilişti. Bir süre bakışlarını çakmaktan ayıramadı. Yana eğiliyor, öne kaykılıyor, arkadaşını itekleyerek çakmağı daha yakından görmeye çalışıyordu. Bir gariplik olduğunu seziyor, fakat ne olduğunu kavrayamıyordu.

Aslında gariplik vardı tabii. Çakmağın üst tarafında, yani sigarayı yakan ucunda, yanmakta olan bir alev vardı, buraya kadar her şey normaldi. Fakat Zafer'in avucunda kalan alt tarafı da çakılmaya hazırdı. İki uçlu bir çakmaktı bu ve ilgi çekmeyecek gibi değildi. Ancak dikkatle baktığınızda fark edebilirdiniz.

Sonunda dayanamayıp ona seslendi. Eliyle işaret ederek gelmesini söyledi. Onu çağıran elini tekrar yerine koyamadan yanında bitiverdi Zafer. "Buyur abi," dedi. Zafer'den çakmağını istedi. "Ben yakarım abi, sen zahmet etme," demesine aldırmadan üsteledi, elini kararlı ve hızlı bir hareketle uzatarak. Zafer çakmağı tereddüt etmeden verdi.

Çakmak iki uçluydu gerçekten. Çünkü bir değil iki çakmak vardı. Zafer iki çakmağı ters yönde birbirine bantla yapıştırmıştı. Masadakiler şaşkınlık ve hayret dolu gözlerle çakmakların sağını solunu incelediler. Olağandışı hiç bir şey yoktu. Ağızları ters tarafa bakacak şekilde birbirine bantla tutturulmuş, en ucuzundan iki tane basit çakmak!

Sonunda çakmakları göstererek, "Zafer, ne iş?" diye sordu birisi.

"Ben yaptım," dedi Zafer.

Masadakiler anlamazdan gelince de açıkladı, yüzündeki gülümsemeyi iyice genişleterek:

"Müşteri sigarasını çıkarır çıkarmaz ben çakmağıma davranıyorum. Fakat cebimdeki çakmak bazen ters şekilde elime geliyor ve baş aşağı çevirmem yani altını üstüne getirmem gerekiyor. Ben çakmağımla uğraşırken müşteri kendi çakmağı ya da kibritiyle sigarasını yakıyor. Ya da masadaki başka birisi daha önce davranıyor. Ben yetişemiyorum, geç kalıyorum. Olmaz ki abi! Benim bahşiş almam gerek. İşi şansa bırakamam. O yüzden böyle bir çare buldum. Anlarsın ya."

Sonra gülerek ekledi: "Sigara içecek misin abi, hemen yakarım valla!"

Masadakiler gülüştüler, çakmakları bir süre daha inceleyip sonra ona geri verdiler. Zafer eline tutuşturulanı alışkın bir hareketle cebine attı ve hiç bir şey olmamış gibi işini yapmaya devam etti.

Zafer müşterileriyle lokantada kaldıkları süre içinde sıcak bir iletişim kurmak ve sonunda bahşiş alma şansını artırmak için çakmağın ters gelmesi sorununa çözüm bulmuştu. Bu onun kişiliği ve karakteri hakkında ipuçları veriyordu. Büyük olasılıkla mızmızlanan biri olmamıştı hiç. Durup dinlenmeden şikayet etmek asla Zafer'in kişiliğine uygun bir tavır olamazdı.

Eğer öyle biri olsaydı, eline her ters gelişinde çakmağa içinden dolu dolu küfrederdi herhalde. Belli bir kişiye ya da belli bir şeye yönelik olmazdı küfürleri. Sadece kükrerdi işte. İçin için kaynardı. Mesela çakmak üreticilerini hedef alabilirdi. "Ulan yuh be!" derdi. "Milyonlarca çakmak üretiyorsunuz ama bir tane çift taraflı çakmak üretmeyi akıl edemediniz yani," derdi. Ya da çakmaktan girer, yaşadığı ülkenin ne kadar yetersiz, ne kadar kötü ve yaşanmaz bir ülke olduğuna, içinde yer aldığı toplumdaki insanların ne kadar beceriksiz ve gelişmekten ne kadar uzak bulunduğuna ilişkin destanlar dizerdi bir bir. Böyle durumlarda birçok başka insanın yaptığı gibi.

Zafer bunları büyük olasılıkla aklına getirmemişti bile. Onun odaklandığı şey müşterilerinin sigarasını yakmaya yeltendiği zamanlarda başına gelen 'çakmağın ters gelmesi' sorunuydu. Oturup bu sorun üzerinde enine boyuna kafa yormuş olduğunu düşünmek de pek anlamlı değildi aslında. Ara sıra aklına gelmiştir belki, o kadar. Bir gün nasıl olduysa şimşek çakıvermiştir kafasında. Kim bilir, belki de cebinde iki tane çakmak bulmuş, onlarla oynarken neden olmasın diyerek iki çakmağı birbirine ters yönde yapıştırıvermişti.

Ama kesin olan bir şey vardı ki, onun kafasında demir parmaklıklar yoktu. Beynini özgür bırakmış biriydi o. Ufak tefek şeylere aldırmıyordu. Kendine olanak tanıyordu kısacası, fırsat veriyordu. Denemekten asla bıkmıyor, denemeyi asla ihmal etmiyordu. Kim bilir, denemek onun yaşam tarzıydı belki de.

Hayata ve onu oluşturan olaylara birazcık farklı bakabilmeyi temsil ediyordu Zafer. Yaptıklarını istekle, mutluluk duyarak yapmayı simgeliyordu. Eğer bunu başarabilirse, ,insanınçözümlere daha kolay ve kısa zamanda varabileceğini hatırlatıyordu.

KURT BABA

Kurt Mager'e

Türkiye'deki dostlarının kendisine "Baba" demesini hiç yadırgamadı. Baba olmayı kolayca benimsedi. Sanki bu adı sonradan almamıştı da, doğduğundan beri kullanıyordu. Onu "Kurt Baba" diye çağırmak bana her zaman çok doğal gelmiştir. Çünkü Kurt Baba her yönüyle babacan bir insandır. Onunla konuşurken babacan biriyle konuştuğunuzu kolayca sezinler ve kendinizi hemen güvende hissedersiniz. Bu kendiliğinden olur, farkına bile varmazsınız. Kurt Baba'nın kendine güvenli, kendiyle barışık kişiliği sizi sarıvermiştir.

Özel bir konuşma biçimi vardır. Az sözcük kullanır. Fakat kullandığı sözcükler onun ağzından çıktığında o kadar güçlü anlamlar kazanır ki, şaşırırsınız. Çünkü söylediklerine el kol hareketlerini, duygularını, mimiklerini, özetle kendini katar. İstediği anlamı kazandırmak

39

için her birine özel bir ceket giydirir sanki. Örneğin "taş" sözcüğü siz söylediğiniz zaman "sert bir cisim" düşündürebilir. Ama Kurt Baba söylerse durum çok farklıdır. O "taş" dediği zaman sizin gözünüzde neyi canlandırmak istiyorsa onu canlandırır. Bu bir demir yığını da olabilir, bir pamuk yığını da. Bütünüyle Kurt Baba'nın elindedir, şaşar kalırsınız.

Onunla tanıştıktan kısa bir süre sonra, yaşadığı her saniyenin tadına vararak yaşadığını, asla boşa zaman geçirmediğini anlarsınız. Bir insanın nasıl bu kadar neşeli, canlı ve içten olabileceğini sorarsınız kendi kendinize. Hatta eğer benim gibi biraz ağırdan alan bir kişi iseniz 'Bu adam yaşamayı nasıl bu kadar çok sevebiliyor?' diye düşünmeden edemezsiniz. Kurt Baba'nın bu özelliği en çok yemek yerken kendini gösterir. Yemek yerken yüzünde her zaman mutlu bir ifade vardır. Onu izlerken, ağzına götürdüğü her lokmanın tadına vardığından kesinlikle emin olursunuz.

Kurt Baba Almandır. Biz onunla İngilizce konuşuruz. Doğruyu söylemek gerekirse yabancı dilini geliştirmesi gerektiğini sık sık düşünmüşümdür. İlk zamanlar bunun bilincinde olduğunu, İngilizce konuşma becerisini geliştirmeye çalıştığını sanıyordum. O nedenle de incitebilirim endişesiyle, bu konuda herhangi bir yargı sözü kullanmamaya, söylediklerini düzeltmemeye özen gösteriyordum.

Fakat daha sonra bu durumu hiç de önemsemediğini ve yabancı dilini geliştirmek için en ufak bir çaba gösterme eğiliminde olmadığını anladım. Eğilim bir yana, en ufak bir niyet kırıntısı bile yoktu. İnsanlarla iletişim kurmak için dile gereksinim duymuyordu sanki. Konuştuğu kişilerle anlaşabiliyorsa onun için "egal"di, yani yeterliydi. Kurt Baba'nın yabancı bir dil öğrenmek için çaba göstermesini beklemek boş bir hayaldi. Çok zorlandığı zaman zarif eşinden yardım isterdi, o kadar.

Aynı dili konuşmasanız da, şakalarını sizin anlayacağınız hale getirmenin ve sizi gülümsetmenin bir yolunu mutlaka bulurdu. Bu amaçla özel bir eğitim almıştı sanki. İlk kez alışveriş ettiği manavın, kasabın, söylediği hiç bir sözü anlamadıkları halde, birkaç dakika sonra kahkahalara boğulduğuna çok tanık olmuşumdur.

Kurt Baba ile yıllar önce Akdeniz kıyısındaki küçük bir kasabanın otogarında tanıştık. Sıcak bir Ağustos sabahıydı. Eşimle birlikte Antalya'ya gitmek üzere bilet almış, şirketin bürosunda otobüsün kalkmasını bekliyorduk. Yaz mevsimi olduğu için yolcu çoktu. Kocaman bir salondan oluşan büronun duvarları boyunca dizilmiş bütün iskemleler doluydu. Bekleyenlerin çoğu yabancı ülkelerden gelmiş turistlerdi.

Eşyalarımızı henüz bagaja vermemiştik. Çevreme bakınırken bavulumuzun kapağının aralandığını fark ettim. İçindekiler dışarı fırlayacaktı neredeyse. Köşeleri metal destekli kocaman bir bavuldu. Biraz eski olduğundan açılmaması için iple çepeçevre bağlamıştım, taşıma sırasında gevşemiş olmalıydı. Sağından solundan çorap ucu, gömlek yeni görünüyordu.

Otobüsün kalkmasına daha zaman vardı. Bu boşluktan yararlanmaya, valizin içindekileri yeniden yerleştirip bağlamaya karar verdim. Sürükleyerek salonun gözden uzak bir köşesine götürdüm. Kapağını içi görülmeyecek şekilde açtım. Eşyaları yerleştirmeye başladım. O kadar çok eşya vardı ki, birini düzeltirken diğeri kayıyordu. Eşimle henüz 'Bir haftalık bir gezi için bu kadar çok eşya almaya ne gerek var?!' kavgalarımız başlamamıştı. Daha sonraki yıllarda bunun için bol bol zaman bulacaktık.

Bavuldaki eşyaları yerlerinde durmaya ikna ettikten sonra sıra kapağı kapatıp bağlamaya gelmişti. Fakat bu hiç de kolay değildi. Uzun süre çabaladım. Gücüm yetmiyordu. Üstten bastırıyor, dizlerimle yanlardan destekliyor fakat bir türlü beceremiyordum. Bir yandan da zorlandığımı belli etmemeye çalışıyordum. Gençtim, o yaşlarda insanın zorlandığını, gücünün yetmediğini kabullenmesi kolay değildi. Terlemiş, öfkelenmeye başlamıştım. Dişlerimi sıkarak kendi kendime söylendiğimi şimdi bile hatırlıyorum.

Kan ter içinde çabalarken omuzumda bir parmak hissettim. Çizgi filmlerdeki gibi "tıp tıp" diye vuran bir parmak. İrkilip arkama baktığımda, parmağın sahibini görebilmek için başımı epeyce yukarıya kaldırmam gerekti. Parmağıyla omuzuma vuran bir yabancı turistti. Uzun boylu, dev cüsseliydi. Uzamış, kırlaşmış saçları tavandaki havalandırma aygıtının esintisiyle kanlı canlı yüzünün her iki yanında, hafif hafif dalgalanıyordu.

Afacan afacan gülümserken sağ elinin işaret parmağını 'Bana bir dakika izin verir misin?' anlamında havada tutuyordu. İstemeyerek de olsa yardım önerisini kabul ettim. Ne de olsa bir yabancıydı, yani konuğumuzdu.

Uslu uslu kenara çekildim ve onu izlemeye başladım. İçin için rahatsız olmadığımı söyleyemem elbette. Sen beceremiyorsun, bırak da ben yapayım diyormuş gibi gelmişti bana.

Bavulu on beş saniye içinde kolayca sarıp sarmaladı, ipini sıkıca bağladı. Tek eliyle ve sürüklemeden taşıyarak getirdi, oturduğumuz yere bıraktı, sonra da yüzüme bile bakmadan gitti, yerine oturdu. Bütün bunları yaparken son derece rahattı. Sanki kocaman bir bavulu değil, küçük bir hediye pakctini bağlıyordu.

Kalakalmıştım. Yardım ettiği için sevinmeliydim. Fakat kızgınlıkla memnuniyet arasında bocalıyordum. Başka insanların ve özellikle de eşimin önünde beni mahcup ettiğini düşünüyordum. Belki biraz zor olurdu ama, o bavulu ben de yerleştirip bağlayabilirdim sonuç olarak. O ise tam bir gösteri yapmıştı sanki. Bana öyle geliyordu. Yaptığı gösterinin bir parçası olmaktan rahatsız olmuştum.

Duygularımı bastırmaya çalışarak yerime oturdum. Durumu fark eden eşim beni sakinleştirmek için, "Daha ne istiyorsun, adamcağız yardımcı oldu, ne var bunda bozulacak?" dedi. Bu sözler beni sakinleştireceğine daha da öfkelendirdi.

Üzerinde durmamaya çalışıyordum. Fakat arada bir onlardan tarafa bakmaktan kendimi alamıyordum. Bir ara göz göze geldik. Sonra beni işaret ederek eşine bir şeyler söylediğini ve birlikte gülüştüklerini fark ettim. Bu beni iyice çileden çıkardı. Yerimden kalktım, onların yanına gittim. Önce teşekkür ettim. Konuştukları dili bilmediğim için el kol işaretleriyle derdimi anlatmaya çalıştım. Kendisinin benden daha iri olduğunu, dolayısıyla bavulu bir çırpıda bağlamasının normal karşılanması gerektiğini, benim biraz daha fazla zaman harcamamın son derece doğal olduğunu söyledim. Bu sırada yüzümde zoraki de olsa bir gülümseme vardı. Alındığımı sezmelerini istemiyordum. Ben bunları ifade etmeye çabalarken dikkatle beni izliyordu.

Ben tam yerime oturmak üzere dönerken kolumdan tuttu. O da el kol işaretlerini kullanarak sorunun beden iriliğinde değil, kafanın içinde olduğunu anlatmaya çalıştı. İri parmağıyla başıma bir iki kez vurup yüksek sesle, "Problem! Problem!" demesi bugün bile kulaklarımdadır. Başımdan aşağıya kaynar sular dökülmüştü. Üstüne üstlük gülümsüyordu. Gülümsemesi benimle alay ettiğinin açık bir kanıtıydı . Öfkem daha da artmıştı. Kendimi tutmak için çok zorlandığımı anımsıyorum. Hiç sesimi çıkarmadan dönüp yerime oturdum, kızgınlıktan titriyordum. Onlardan tarafa bakmamaya çalıştım. Haklıydım. Bu o kadar ortadaydı ki, eşim bile olanları anlattığımda söyleyecek söz bulmakta zorlanmıştı.

Antalya otobüsünde hemen bizim arkamıza oturdular. Durumu fark ettiğimde ne kadar şanssız olduğumu düşünmüştüm. Rastlantının böylesine de ne denirdi kim bilir. Aynı otobüse bin, üstelik arka arkaya otur!

Bir süre sonra tanıştık. Aynı ortamda olup Kurt Baba ile tanışmamak, konuşmamak olanaksızdır zaten. Bunu daha sonraları öğrenecektim. Yol boyunca karşılıklı sorular sorduk, birbirimize meyve ikram ettik. Bir iki saat sonra sohbet etmeye başlamıştık

O gün otobüste yaptığımız sohbeti daha sonraki yıllarda Kurt Baba ve eşi ile birçok kez tekrarladık. Türkiye'ye her gelişlerinde mutlaka bize uğradılar. Bizim onları ziyaret etme olanağı bulmamız zaman aldı. Yıllar sonra Almanya'ya, onları ziyarete gittiğimizde gösterdikleri sıcaklığı, konukseverliği unutamayız.

Dostluğumuz bugün de sürüyor. Artık Türkiye'ye daha sık geliyorlar. Burada ev aldılar. O sıcak Ağustos sabahını sık sık anıyoruz. Bana o gün söylemek istediklerini şimdi daha iyi anlıyorum. Bir konuşmamızda, "Bavulu kapatmak önemli değil," demişti. "Bir süre sonra o bavulu unutur gidersin, belki onu atar yeni bir tane alırsın. Ben, onunla uğraşırken geçirdiğin dakikalardan söz ediyordum. Kendine zehir ettiğin o dakikaları yeniden kazanamazsın. Öyle başladığın bir günden sana asla hayır gelmez. Bütün bir günü kaybedersin ve yerine yeni bir gün koyamazsın."

* * *

Aradan yıllar geçmiş, İstanbul'a taşınmıştık. Otomobille ilk kez İstanbul trafiğine çıkmıştım. Kentin en kalabalık günüydü, daha doğrusu uzak bir Anadolu köşesinden gelmiş olmam nedeniyle ben öyle düşünüyordum. Eşim ve kızımla birlikte, bulunduğumuz çevreyi tanımak için biraz dolaşacak ve alışveriş yapacaktık. O günlerde otoparklar yaygın değildi. Aracınızı uygun olan herhangi bir yere bırakabiliyordunuz. Ben o uygun yeri ararken nasıl olduğunu anlayamadan daracık bir yola girdim. Sağ tarafta çok yüksek bir duvar, sol tarafta ise park etmiş araçlar vardı. Ancak tek sıra olarak ve yavaş yavaş geçilebiliyordu. Ağır ağır giderken ileride, park etmiş araçların arasında bir boşluk gördüm. "Buraya park edebilirim," dedim içimden ve ani bir hareketle boşluğa yöneldim. Yavaş ve dikkatli bir şekilde öndeki araca iyice yaklaştım. Fakat otomobilimin arka kısmı dışarıda kalmıştı ve yolu kapatıyordu. Geriye doğru çıktım ve daha geniş bir açıyla yeniden girdim. Yine olmadı. Bir kaç kez uğraştım fakat otomobilin arka bölümü bir türlü içeri girmiyordu.

Arkadaki araçlar geçebilmek için benim park etmemi bekliyordu. Bir süre sonra korna çalarak zamanlarını aldığım için tepki göstermeye başladılar. Korna sesleri, daha doğrusu insanların zamanını alıyor olma düşüncesi beni daha da telaşlandırıyordu. Park etmekten vazgeçtim ve bulunduğum yerden çıkıp yola devam etmeye karar verdim. Fakat o durumda bunu yapabilmem de çok zordu. Çünkü otomobilin arka bölümünü girdiği yerden çıkaramıyordum. Camı açtım. Geriye bakarak yavaş yavaş çıkmaya çalışırken hemen arkamızda bulunan minibüs sürücüsü başını dışarı çıkardı ve:

"Şoför lazım ona şoför!" dedi. "Sen hiç o dar yere park edebilir misin?!"

Ne yapacağımı şaşırdım. Elim ayağım birbirine dolaşmaya başladı. Yüzüm kıpkırmızı kesilmişti. Eşimin beni yatıştırmak için söylediklerini işitmiyordum bile.

Derin bir nefes alıp sesin geldiği yere baktım. Sürücü ile göz göze geldik. Ufak yapılı, soluk benizli bir gençti. Ona bakarken nedense Kurt Baba'nın geniş güleç yüzünü görüyordum. Parmağıyla omuzuma vuruyordu sanki. Doğrusu, Kurt Baba'nın işaret parmağını, minibüs sürücüsünün söylediğine, daha doğrusu söyleyiş biçimine yeğlerdim. Ani bir kararla otomobilin anahtarını çıkardım, kapıyı açtım. Dışarı çıktığımı gören eşim beni durdurmaya çalışıyor, tartışmaya girmemi önlemek istiyordu. Sakin adımlarla minibüs sürücüsünün yanına gittim. Anahtarı ona uzatarak:

"Size zahmet olacak ama," dedim. "Mümkünse siz park edebilir misiniz benim otomobili?"

Şaşkın bakışlarla bir süre yüzümü inceledi. Sonra içten konuştuğumu anlayıp anahtarı elimden aldı, çevik bir hareketle dışarı çıktı. Koşarak otomobile doğru ilerledi. Ben hayranlık ve biraz da kıskançlıkla onu izlerken otomobili bir güzel park etti. Sanki oyuncak bir arabayı eliyle havaya kaldırmış, sonra da düzgün bir biçimde yere bırakmıştı. Anahtarı bana uzatırken gözlerinde söyledikleri için duyduğu pişmanlığı okuyabiliyordum. Ona teşekkür ettim.

Eşim ve kızımla çarşının kalabalığına karıştığımızda içimde büyük bir rahatlık vardı. İyi bir gün geçireceğimi düşünüyordum. Kurt Baba'nın işaret parmağı çok işime yaramıştı.

TEYZE'NİN YERİ

İzmir Belediyesi - Öykü Yarışması, Mansiyon

Gözlerini iki adımlık uzaklıktan bile seçmenin olanağı yoktu. Yuvarlak ve dolgun yüzünün ortasındaki belli belirsiz burun çıkıntısının tam üzerindeydiler. Yumuk yumuk, tombul bir bebeğin gözlerini andırıyorlardı. Oysa hiç yoksa altmış beş, belki de yetmiş yaşında vardı. Saçlarına belli ki kına yakmıştı. Başını tümüyle kapatmayan yemenisinin altında kırmızı-kahverengi arası bir tonda, düzgün, taralı ve tertemiz görünüyordu saçları. Hareketleri o kadar hızlıydı ki, durmadan sigara içmesine rağmen hareketlerinin ağırlaşmamış olması şaşırtıcıydı.

Genç kız arkalıksız ve çocuk iskemlesini andıracak küçüklükteki iskemlede oturmuş, bir yandan eline tutuşturulan köfte ekmeği yiyor, bir yandan da onu izliyor, daha doğrusu izlemeye çalışıyordu. Çünkü çok hareketliydi ve bu arada durmadan konuşuyordu:

"Boğazıma sanki 'gazel' yapışmış gibi. Gazel nedir bilir misin sen? Çalı yaprağının kurumuşuna gazel deriz biz. Küçük olur, kenarı çepeçevre dikenle kaplıdır. Hasta mı olacağım nedir. Nezleden yeni kurtuldum ama. Çay istemez misin sen? Kuru kuru gitmez o yavrum. Dur ben sana taze bir çay getireyim. Ama istersen biraz bekle, iyice oturmadı daha. Çay dediğin oturmalı güzelce, yoksa ot ot kokar. Namazdan çıkacakları zamana denk getirmeye çalışıyorum. Çayımı içmeden gitmezler. Ne yapayım, her işin bir cilvesi var kendine göre."

Terlemiyordu, oysa çok sıcaktı. Ayrıca kulübenin içi daha da sıcak olmalıydı, çünkü köfteleri kömür ateşinde pişiriyordu ve iş gördüğü alan çok küçüktü.

Kulübenin yeni yapıldığı belliydi, düzgün kesilmiş tahtalar tam olarak kurumamıştı daha. Eski masa ve iskemlelerle karşılaştırıldığında yeniliği kendini daha çok belli ediyordu. Çayı küçük havagazı ocağının üzerinde duran temiz ve şirin çaydanlık-demlik takımında hazırlıyordu.

Kulübenin içinde ancak bir kişinin ayakta durabileceği kadar boş yer vardı. Küçücük penceresinin camında, yeşil ve kırmızı boya kullanılarak büyük harflerle yazılmış "İRƎY NİNƎZYƎT" yazısı hemen göze çarpıyordu. Fakat cam ters takıldığı için olsa gerek, yazı ayna görüntüsü gibi tersten okunabiliyordu ancak.

Boşta kalan eliyle rüzgardan savrulan saçlarını toplamaya çalışan genç kız, köfte ekmeğinden aldığı iri bir lokmayı çiğnemeye çalışıyordu. Buraların yabancısı olduğu, hatta bu kasabaya ilk kez geldiği her halinden anlaşılıyordu. Dizlerine ulaşan şortu ve askılı bluzuyla daha çok Anadolu'daki büyük kentlerden gelmiş birine benziyordu. Lokmasını yutar yutmaz "Kazandığın sana yetiyor mu?" diye soracak oldu, teyze hemen sözü onun ağzından aldı:

"Yetmeyip ne olacak, on yıldır bu işi yapıyorum, önceleri yalnız yaz aylarında çalışırdım, şimdi yaz kış fark etmiyor. Bu turizm işi çok sardı. İri iri yabancılar geliyor buralara. Yarım ekmekle de doymuyor, iki tane birden alıyorlar. E, çay da var, isteyene gazoz, kola. İkindi üzeri oturtacak yer bulamıyorsun, kızlı erkekli doluşuveriyorlar. Köftelik eti bir gün öncesinden hazırlarım ben. Dinlendiririm. Yoksa tadı olmaz ki. Bak, sen dün de gelmiştin, önceki gün de. Beğenmesen gelir miydin? Gelmezdin. Bu zamanda her iş böyle."

Kız konuşabilmek için onun kül tablasına bıraktığı sigarasını eline alışını kollamak zorundaydı. Çünkü ancak sigarayı ağzına götürüp bir iki nefes çektiği zaman susuyordu ve soru soracak ya da bir şey söyleyecekse o anı kollamaktan başka seçeneği yoktu.

Dulmuş. Kocası yıllar önce bir trafik kazasında ölmüş. Bir oğlu varmış ama uzaklara gitmiş. Onun deyimiyle "yaban"a. Bari evlendireymiş, gözleri açık gitmezmiş. Hayırsız evlat demiyormuş ama insan yılda bir kez olsun anacığını görmek için gelmez miymiş. Oğlu gelmiyormuş.

"Sağ olsun, evinde olsun. Ne yapayım. Kimseye muhtaç değilim çok şükür. Kendim çalışıp kendim yiyorum. Kalk diyenim yok, göç diyenim yok. Burada olsaydı iyi olurdu ama, kendine göre bir bildiği vardır herhalde."

Genç kız dayanamayıp sözünü kesti. Oğlunun onu hiç arayıp aramadığını sordu.

"Arar," dedi. "Bayramlarda yan komşuma telefon eder. Sağ olsun komşum çağırır, konuşuruz. Bende telefon yok. Hem olsa neye yarar, çevirmesini bilmem, açmasını bilmem. Okumam yok diye mektup da yazmaz."

Sesi titremişti. Bu açıkça belli oluyordu. Birazdan ağlamaya başlayacağına bahse girebilirdiniz. Bir süre kulübenin içinde kaldı, belki de isteyerek.

Önlüğünden başka bir de havlusu vardı, beline asmıştı, arada bir ellerini kuruluyordu. Tezgahı ve üzerindeki her şey pırıl pırıldı. Su ve çay bardakları, sürahi, kül tablaları, boy boy bıçaklar, tabaklar ve öbür gereçler. Hepsi de en ucuzundan alınmışlardı ve tertemizdi. Kullandığı sebzelerin ve öteki yiyeceklerin üzerinde bembeyaz, incecik tül örtüler vardı. Toz kalkmasın diye kulübenin önüne sık sık su atıyor, tek tük ortaya çıkan sinekleri elinin tersiyle kovalıyordu. Titiz olduğu her halinden anlaşılıyordu.

Onun konuşma hızına göre uzun sayılabilecek bir sessizlik oldu. Düşüncelere daldığı belliydi. Masalardan birindeki kül tablasına bıraktığı sigarası kendi kendine yanıyor, gri-beyaz, minik bir fil hortumuna benzeyen kül artığına dönüşüyordu. Genç kız onun üzülmesine neden olduğu için kendine kızıyordu. En duyarlı olduğu noktayı eşelemiş, incinmesine yol açmıştı. Hemen konuyu değiştirmeli, onu yeniden eski neşesine döndürmeliyim diye düşünüyordu ki, teyze sevinç dolu bir sesle bağırdı:

"Okey mi?"

Kime söylediğini anlamak ilk bakışta zordu. Deniz giysileri içinde bir turist gelmişti, ona sesleniyordu. Adam homurtuya benzer bir sesle onu yanıtladı ve iskemlelerden birine çöktü. Çok fazla yüzmüş ve yorulmuş olmalıydı, çıplak sırtında deniz suyundan kalma iri damlalar fark edilebiliyordu hâlâ. Nefes nefese değildi ama kısa bir süre önce yorucu bir işi tamamladığı her halinden anlaşılıyordu.

Yeni bir müşterinin gelmesi teyzeyi iyice hareketlendirmişti. Kulübenin içinde arı gibi çalışıyordu. Birkaç kez girdi çıktı. Gülümsüyordu, gülümsüyor olması genç kızı da sevindirmiş, yüzündeki gergin ifade gitmiş, yerine aydınlık, neşeli bir hava gelmişti. Koşarak karşıdaki bakkaldan bir şişe kola getirdi, turistin önüne koydu, içeriden bir de bardak verdi. Derken yeniden konuşmaya başladı:

"Anlamadın değil mi?" dedi gülerek, genç kızın soran bakışları gözünden kaçmamıştı. "Okey mi?" sorusu, 'Her zamankinden mi istiyorsun?' anlamına geliyor. Üç beş yıldır yazları gelir buralara bu. Alaman mı, İngiliz mi, bilmiyorum o kadarını. Yalnız çok sessiz. Gavursa gavur, iyi insan yüzünden belli oluyor. O gülümser, ben gülümserim, dil diş bilmem ki, ne yapayım. İlk geldiğinde olacak, buna köfte ekmek verdim, 'Okey okey,' dedi bana. Ben de okey demek bunların dilinde herhalde köfte demek olsa gerek diye düşündüm. Meğer hep söylenirmiş konuşurken. Ne bileyim. Senin anlayacağın o zamandan bu yana benim köfte ekmek oldu 'Okey.' Ne yaparsın çocuğum, biz de böyle vakit geçiriyoruz işte. Bu garibim her gün gelir, köfte ekmek yer gider. Kim bilir, belki yoksuldur, pahalı lokantalara gidemiyordur ya da benim köftemi beğeniyordur belki, ne bileyim." Turistin onun köfte-ekmeğini beğendiği için geldiğini düşünmek daha mantıklı gelmişti genç kıza.

Birden hareketleri yine hızlandı. Bardakları dizdi, süzgeci hazırladı, çıktı masaların tozunu aldı, toz kalkmaması için çevreye su attı yeniden. Kulübenin hemen yan tarafındaki camiden çıkanları görünce telaşının nedeni anlaşılıyordu. Kısa bir süre sonra bütün masalar doldu. Gelen selam veriyor, "Teyze çay," deyip oturuyordu.

Gelenlerin hepsiyle tanışıyordu. Bir yandan çay yetiştiriyor bir yandan konuşuyordu onlarla. En çok onun sesi işitiliyordu doğal olarak, çünkü konuşmayı çok seviyordu. Az aşağıda, elli altmış metre ileride bambaşka bir dünya vardı. Kıyıda tekneler diziliydi, satıcılar, turistler, ellerinde koca koca kasetçalarları ile genç grupları, çıplak ayaklı ve durmadan ağlayan çocuklar, üst üste konmuş gibi duran manav, kunduracı, lokanta ve benzeri dükkanlar...

Teyzenin yerinde ise, bütün bu olan bitene tamamen ilgisiz gibi görünen kasaba sakinleri, kendi gündelik yaşamlarına ilişkin sohbete dalmış gülüşüyor, şakalaşıyordu. Yaşlılar başta olmak üzere aşırı sıcağa rağmen çoğu ceket giymiş, şapka takmıştı. Bir bakışta yabancı olmadıkları, buranın yerlisi oldukları anlaşılıyordu. Tarla, bahçe ve diğer günlük işlerden konuşuyorlardı. Kasabalarının son yıllardaki değişiminin bilincindeydiler. Fakat kendilerini bu değişimden ayrı tuttuklarını, gelişmeden çok "curcuna" olarak adlandırılabilecek bu yeni olguya biraz uzak durduklarını sezinleyebiliyordunuz. Sanki yadsımak ister gibiydiler. Olgunca bir hoşgörü vardı bakışlarında. Belki de zorunlu bir hoşgörüydü bu. Kasabadaki değişikliklerin kendi ekonomik yaşamlarında yarattığı yeniliklerin getirdiği bir zorunluluk. Ceplerine giren paranın artmasının da etkisi olmalıydı bunda. Yaşadıkları yerin canlanması, gelişmesi onları mutlu ediyor olmalıydı. Bu mutluluk onaylamadıkları birçok şeye göz yummalarını gerektiriyordu belki de.

Yalnızca aralarındaki konuşmaları dinlemek bile teyze ve teyzenin yeri hakkında birçok şeyi öğrenmek için yeterliydi. İlk başladığında kulübesi yokmuş. Hafta sonlarında denize girmeye gelenlere evinde yaptığı çayı, köfteyi, böreği satarmış koluna taktığı sepetin içinde. Derken yazları cami avlusunun sokağa bakan kapısının yanına ufak bir tezgah kurmuş. Yaşlı olduğu için ona yardımcı olmuşlar, aradan zaman geçip işler açılınca bu kulübeyi yaptırmışlar ona. Ancak buradan da çıkmak zorundaymış. Kulübesinin bulunduğu alana büyük bir bina yapılacakmış.

"Daha neler göreceğiz bilmem ki. Benim kulübeciğimin kime ne zararı var? Zaten her yer bina. Burası da düz kalıversin, bu güzelim ağaçlara yazık değil mi? Az yukarıda yer dolu. Ben bu yaştan sonra ne yaparım, nereye giderim? Geçen gün yine gelmişlerdi, para vereceklermiş de, ev vereceklermiş de. Paraları da, evleri de onların olsun! Çıkmayacağım, bakalım ne yapacaklar!"

Kalabalık geldikten sonra teyzeyle daha az konuşabilen genç kız çayını bitirip kalktı. Teyze yalnız köfte için para aldı ondan, çay ücreti almadı, "Çaylar benden olsun güzelim," dedi. Bir an ikisi göz göze geldiler, belli ki genç kız üstelemeyi düşündü. Ancak teyzenin bakışları cesaretini kırmış olmalıydı. Uslu bir çocuk gibi kabul etti, teşekkür edip ayrıldı oradan. İnsan yığınının arasına dalıp gözden kayboldu.

Kalabalık, gürültü ve karmaşaya karşın akşamüstünün çekiciliği son derece etkileyiciydi. Deniz insan kaynıyordu; yüzen, oynayan, karnını doyuran. Kıyıda tekne turlarının reklamlarını okuyan, dişinin kovuğunu temizleyen, tozu dumana katarak gelen araçlardan kaçışan...

Uzun bir otobüs konvoyu sökün etmiş, en öndeki otobüsler çoktan kasaba meydanında, yani Teyzenin Yeri'nin bulunduğu boş alanda yerlerini almışlardı. Otobüslerin içi tıklım tıklım turist doluydu. Konvoyun sonu kasaba girişine, bir yanını dağa yaslamış viraja kadar uzanıyordu. Günde birkaç kez tekrarlanan bu görüntü ekonomik bir gerçeğin altını çok kesin biçimde çiziyordu: Teyzenin Yeri'nin hiç şansı yoktu.

FASULYE ÇİÇEKLERİ

Doğum tarihini bilmiyordu. Doğum günü bir yana, hangi yıl doğduğu bile kesin değildi. Köy yerinde doğum günleri akılda tutulmaz ve kutlanmaz. Ayrıca erkek çocukların resmi kayıtlardaki doğum tarihleri çoğu kez gerçeğinden farklıdır. Askere geç gitsin, çifte çubuğa yardım etsin diye genellikle oldukları yaştan daha küçük "yazdırılır", yani nüfusa geç kaydettirilirler. Hele ailede iki erkek çocuk bir ya da iki yaş arayla doğmuşsa, durum daha da fazla önem kazanır. Aile iki oğlunu birden aynı dönemlerde askere göndermek durumunda kalır ve hem maddi, hem de manevi olarak zorlanır. Bu nedenle küçük çocuğun nüfusa kaydettirilmesi özellikle geciktirilir. Babası ilk zamanlar nüfus kaydını bu yüzden geciktirmişti; ağabeyi ile arasında bir yaştan biraz daha fazla zaman olduğu için.

Doğduktan altı ay kadar sonra hastalanmış, beş yılı

aşkın bir süre yatağa bağımlı kalmış, ancak altı yaşında yürüyebilmişti. Doktorlar, üfürükçüler, hocalar, türbe ziyaretleri... Ailesi birkaç kez ondan tamamen umudu kesmişti. Cenaze hazırlıklarını bile yapmışlardı. Sabun, hoca, kefen bezi, her şey hazırlanmış, ayarlanmıştı. Fakat şanslı bir çocuk olmalı ki, bütün sağlık sorunlarını atlatabilmiş ve ölmemişti.

Üniversitede öğrenciyken laboratuar dersleri için beyaz bir önlük gerekli olmuştu. Temel ihtiyaçlarını bile karşılamakta zorlanan bir öğrenci olarak önlüğe para ayırması mümkün olmadığından, memleketine gittiğinde konuyu annesine açmış, beyaz kumaş bulabilirse evdeki eski dikiş makinesiyle ona önlük dikip dikemeyeceğini sormuştu. Annesi onu birkaç gün oyaladıktan sonra bir gün sandığın en dip tarafından bulup çıkardığı beyaz keten bezini eline tutuşturmuştu cevap olarak. "Ben de dikerim, ama sen en iyisi falanca teyzene git, dikiversin iki dakikada sana," diyerek. Falanca teyzesinin daha modern görüşlü olduğunu, insan içine çıkılırken neyin nasıl olması gerektiğini daha iyi bildiğini uygun cümlelerle ekleyivermişti.

Uzun süre kullandığı, sonra da kaybettiği bu laboratuar önlüğünün bebekliğinde kendisi için alınmış kefen bezi olduğunu çok sonra söyleyecekti annesi ona. "O zaman söylemedim, çünkü belki önlük olarak giymek istemezsin diye düşündüm yavrum," demişti. "Ne bileyim ben. Aklım öyle hükmetti işte." Eliyle, "Benim gibi birinden daha fazla ne bekleyebilirsin ki," anlamında bir hareket de yapmıştı. Oysa kendisinden beklenmeyecek o kadar çok şey yapmıştı ki o güne kadar.

Hastalığının ne olduğunu öğrenmesi mümkün olmamıştı. O zamanlar kendisini tedavi eden doktorla görüşmüştü. Yaşlı adam kemiklerle ilgili olduğunu hatırlayabilmişti sadece, başka bir şey söyleyememişti. Anne ve babasına, "Bu çocuk için fazla para harcamayın, çünkü kurtulması çok zor," dediğini de itiraf etmişti, bunun o durumda çok doğal bir davranış olduğu konusunda hemfikir olduklarını düşünerek. Fakat o yaşamakta inatla diretince, ailesi iyileşmesi için elinden geleni fazlasıyla yapmıştı. Başarmışlardı da.

Yükün ağırını annesi çekmişti kuşkusuz. Yorgunluk, kaygı, hepsinden fazlası da üzüntü. Bebeklerin kundak bezinin içine temiz beyaz toprak koymak bugün bile kimi yerlerde geçerli bir uygulamadır. Aslında badana olarak kullanılan bu toprak, doğal bir pudra işlevi görür bebekler için. Titiz anneler önce ateşte iyice kavurup soğuttuktan sonra çocuğun poposunun altına yayar, sonra da bebeği kundak yaparlar. Onun annesi de öyle yapar, iyice kızarıncaya kadar ateşte tutarmış toprağı. Sonra da dinlendirir, yeterince soğuyup soğumadığını anlamak için dirseğini değdirirmiş, onun altına yaymadan önce.

Annesi onun kundağına koyduğu toprağa ilişkin bir anısını sık sık anlatır. Bir gün huysuzluğu tutmuş. Mızırdanmaya, ağlamaya başlamış. Susturmak mümkün olmamış bir türlü. Su vermiş olmamış, mama vermiş olmamış, altını değiştirmiş olmamış. Gecenin ilerleyen saatinde ne yapacağını şaşırmış kadıncağız. Gözlerinden uyku akar, ertesi gün bir dolu iş var yapılacak. Ev işlerinin ötesinde yılın en ağır tarla işlerinin olduğu hasat ve harman dönemiymiş üstelik. Altın sarısı tahıl başakları henüz insan eliyle ve orak kullanılarak biçiliyor. Traktörün, patozun, biçerdöverin adı yeni yeni duyuluyor o günlerde daha.

Neden sonra aklına gelmiş, acaba toprak mı istiyor bu çocuk, diye. Üşenmemiş ateşi yakmış yeniden. Toprak kabını ateşin üzerine koymuş, bir güzel kavurmuş toprağı. O zamana kadar mızırdanıp duran çocuk, toprağın hazırlandığını görünce sevinç sesleri çıkararak gülümsemeye başlamaz mı… Ne yorgunluğu kalmış ne de uykusuzluğu tabii. Ne zaman zorlu geçen çocukluğundan söz açılsa, annesi bu olayı anlatmadan edemez.

Sağlık durumu pek iç açıcı olmadığından, nüfus kütüğüne kaydettirme işini babası iyice ağırdan almış. Derken küçük kardeşi dünyaya gelmiş. Küçük kardeşi ondan çok daha sağlıklı bir çocukmuş. Bu yüzden babası işi düşüp ilçeye gittiğinde kardeşinin nüfus kaydını yaptırmak istemiş. Arkadaşı olan nüfus memuru onun varlığından da haberdar olduğu için, "Senin bir çocuğun daha vardı, o ne oldu?" diye sormuş babasına. Ağır hasta olduğunu öğrenince de, "Bu böyle olmaz," demiş memur, "Nüfus kütüğüne kaydetmek için oğlunun iyileşmesini bekleyemeyiz. Ben bu çocukları ikiz olarak kaydediyorum." Babası itiraz etmemiş. Aile dostu oldukları nüfus memuru daha sonraki yıllarda çoluk çocuğuyla birlikte onlara misafirliğe geldiğinde bu olayı buruk bir sevinçle hatırlayıp gülüşmüşlerdi. Nüfus memuru kendine pay çıkarıyordu şakacıktan, babasının itiraz etmesini önlediğini söyleyerek.

Fakat bir süre sonra itiraz eden birisi olmuştu. Köyden kente taşınmışlardı. Ortaokul son sınıfta okuyordu. Ders arasında bahçede oynarken, "Nerede bu çocuk? Nereye kayboldu gene!?" diye söylenerek onu arayan okul müdürünün yüzünü dün gibi hatırlıyordu. Yürüyüşünü yuvarlanan bir file benzetmekten kendini alamadığı müdürden çok korkar ve çekinirdi. Başarılı bir öğrenciydi ama başarının haylazlığa verilen cezaları hafifletmesi söz konusu değildi. O yüzden sık sık ceza alırdı.

'Yine ne yaptım?' diye kara kara düşünürken, müdür onun karşısına geçti, iki omuzundan tutup birkaç kez sarstıktan sonra, "Evladım," dedi, "Seni mezun edemeyeceğiz."

Korkudan dili tutulmuş, ne diyeceğini, ne yapacağını şaşırmıştı. Derslerinde başarılı olmak, sınıfını geçmek, okulu bitirmek onun için çok çok önemliydi. Aldığı bursu kaybedebilirdi yoksa. Paniğe kapılmasına fırsat kalmadan açıkladı adam, "Nüfus kaydına göre sen 11 yaşında görünüyorsun. Hemen babanı bul ve adliyeye gidip yaşını büyütmesini söyle, yoksa diplomayı unut."

Hemen o gün öğle tatilinde durumu babasına anlattı. Bir süre sonra tanıdık bir amca ile birlikte mahkemeye gittiler. Yargıç, babasına ve tanık olarak götürdükleri amcaya bazı sorular sordu, sonra gözlüğünü işaret parmağıyla yerine yerleştirerek iri kaşlarının altındaki gözlerini ona çevirdi. Yüksekteki koltuktan üzerine yönelen bakışlar onu ürkütmüş, başını önüne eğmesine sebep olmuştu. Babası eliyle çenesinden tutup başını kaldırdı, yüzü görülebilsin diye. Yargıç bir süre onu süzdükten sonra doğum tarihine karar verdi.

Küçük bir defter büyüklüğündeki eski tip nüfus cüzdanını okul müdürüne büyük bir zafer kazanmışçasına uzatırken çok mutluydu. Yargıç kararı da olsa, artık kendine ait bir doğum tarihi vardı. Gerçi yaşı dört yıl birden artmıştı ve annesi ısrarla küçük kardeşinden sadece iki yıl kadar büyük olduğunu söylüyordu. Ama olsundu, önemli olan diplomanın tehlikeye girmemesiydi. Nüfus kayıtlarında yaşının fazladan iki yıl büyümüş olması o kadar da önemli değildi.

Yargıcın verdiği doğum günüyle bir süre mutlu yaşadı. Ancak zaman geçtikçe gerçek doğum gününü merak etmeye başladı. Acaba hangi tarihte doğmuştu? Yıldan vazgeçmişti, acaba aylardan hangisiydi? O da olmadı diyelim, hiç olmazsa hangi mevsimde doğduğunu bilebilseydi.

Ne zaman doğduğunu, kaç yaşında olduğunu annesine ve babasına birçok kez sormuş, ancak tüm girişimleri sonuçsuz kalmıştı. Önceleri onu kolayca başlarından savmışlardı. Biraz büyüdükten sonra da, "Git şuna sor, o bilir.", "Köy okulu yapıldıktan birkaç ay sonraydı herhalde," gibi belirsiz cevaplarla atlatılmıştı. Ne okulun yapıldığı tarihi bulabilmişti, ne de söyledikleri kişilerden herhangi bir ipucu elde edebilmişti.

En çok annesine yükleniyor, biraz da huysuzluk ederek sorularıyla onu sık sık bunaltıyordu. Fakat ne tam olarak kaç yaşında olduğunu ne de doğum gününü öğrenebilmişti. Annesi "Bilmiyorum," diyor, başka da bir şey söylemiyordu.

Bir keresinde annesi onu, "Okulun bahçe duvarı yapıldığı zaman doğdun," diyerek susturmuştu. Fakat elinde güçlü tanıklar vardı, okulun bahçe duvarı yapıldığı sıralarda doğan o değildi, ağabeyiydi -zaten bu olayın tarihi de tam olarak bilinmiyordu ki.

Başka birinde ise, "Senin kırkın filancanın oğlu ile karışık," demişti annesi. Kırk günlük bir esneklikle doğum tarihini belirlemek muhteşem olurdu. Oğlunun doğumu ile kendi doğum günü arasında kırk günden daha az bir zaman bulunan "filanca"yı günlerce aramıştı. Bulmuştu da. Ama onun oğlunun kayıtlardaki doğum tarihi gerçeğe çok daha uzaktı. Eğer o yaşta olsaydı değil ortaokulu, ilkokulu bitirmesi bile imkansız olurdu. Biraz ısrar edince adam çocuğunun filancanın kızından on yedi gün sonra doğduğunu dün gibi hatırladığını söylemişti.

Aldığı son ipucunu değerlendirmek üzere sevinçle araştırmalarını sürdürmüştü. Bu yeni "filanca"yı puslu bir akşamüstü köy meydanındaki kahvede otururken bulmuştu. Sabırsızlıkla konuya girmiş ve, "Amca, senin kız kaç yaşında?" diye sormuştu. Fakat bıyıklarının yeni yeni terlediğini ve o kadar kalabalığın içinde böyle bir sorunun biraz tatsız olacağını düşünememişti. Oturduğu iskemleyi kaptığı gibi üzerine yürümesi bir oldu adamın. Haklıydı tabii. Eğer kızına göz koyduysa bunu alışılmış yöntemlerle halletmeliydi. O son hızla kahveden dışarı kaçarken, "Bir derdin varsa babanı gönder," gibisinden söyleniyordu adam.

Bütün bunlar onu yıldırmamıştı. İlkokul öğretmenleriyle görüştü. Fakat okul kayıtlarındaki "doğum tarihi" bölümünde küçük kardeşinin doğum tarihi yazıyordu doğal olarak. İkiz diye kaydedildiği için tabii ki. Öğretmenleri yardımcı olmak istiyorlardı elbette ama yapabilecekleri çok fazla şey yoktu.

Zaman geçtikçe gerçek doğum gününü, daha doğrusu gerçek yaşını bilmemek onu daha çok rahatsız etmeye başlamıştı. Lise çağlarında içindeki merak iyice çekilmez hale gelmişti. Sınıf arkadaşları doğum günü toplantıları düzenliyordu. Onlarla konuşurken ne zaman doğduğunu bilmemenin ezikliğini hissediyordu. Hem her şey bir yana, neden bilmiyordu ki!? Bu bir haktı ve o da bu hakkını kullanmalıydı.

Ağabeyinden bir iki yıl sonra doğmuştu. Annesinin verebildiği en kesin bilgi buydu. Bir ile iki yıl arasında kocaman bir zaman dilimi vardı oysa. Hem ağabeyinin doğum tarihi de belli değildi ki. Ondan bir yaş ya da beş yaş küçük olmuş, neye yarardı.

Bir gün kesin kararını verdi: Yaşını tam olarak öğrenecekti. Kimden mi? Dünyaya gelişinin en yakın tanığından elbette, annesinden. Onu oyalayıp vazgeçireceğini sanıyorsa yanılıyordu. Bu sefer işin peşini bırakmayacaktı. Uygun bir zamanını kollayıp yaklaştı, annesi örgü örüyordu.

"Anne," dedi. "Sana bir şey soracağım."

Kendisine bakmasını bekledi. Annesi bir süre sonra örgüsünü indirdi, başını kaldırdı ve gözlüğünün üzerinden soran gözlerle ona baktı.

Yüzüne çok ciddi bir ifade takınarak sakin sakin konuşmaya başladı:

"Fakat beni oyalama, tamam mı? Bu sefer mutlaka cevaplamanı istiyorum." Ses tonundaki kararlılık kendisini bile etkilemişti.

"Sor oğlum," dedi annesi yumuşak bir sesle. Can alıcı hamleyi yapmanın zamanı gelmişti. Sözcüklerin üzerine basa basa sorusunu yönellti:

"Ben tam olarak kaç yaşındayım?"

Annesi hiç sesini çıkarmadan gözlerini kısarak bir süre düşündü. Sonra örgü ipini doladığı parmağını ipten kurtardı, parmaklarıyla uzun uzun saydı, hesap yaptı. Bu arada zeki bakışlarıyla hem onu süzüyor, hem de belli belirsiz gülümsüyordu. Onun bu halini çok iyi tanıyordu. Böyle gülümsediği zamanlarda kesinlikle bir muziplik düşünüyor demekti. Fakat ne olur ne olmaz, belki bu kez doğru bir yanıt alırım diyerek sabırla bekledi karşısında. Heyecandan ağzı kurumuştu, içi içine sığmıyordu, sonunda öğrenecekti galiba. Bu kez kararlı olduğunu hissettirebilmişti herhalde. Hem artık, "Koca adam olmuştu" annesinin deyimiyle, belki bu yüzden onu daha fazla önemseyebilir, net bir cevap verebilirdi.

Annesi bir yandan parmaklarını sayıyor, bir yandan da gözlerini kısarak karşıya bakıyordu. Onu uzun süre beklettikten sonra parmaklarını indirdi, zor bir karara varmış insanların edasıyla yüzüne baktı.

"Oğlum," dedi, "sen tam olaraaak... On beş-yirmi varsın." Zeki gözleri her zamanki gibi pırıl pırıldı, onunla alay ettiği açıkça belli oluyordu. Üstelik bunu gizlemeye de hiç niyetli görünmüyordu. Acı gerçeği kabul etmek zorundaydı, bunu net olarak görebiliyordu.

"Ama anne! On beş ile yirmi arasında beş yıl var! N'olur, iyi düşün."

"Evladım, sana kaç kere söyledim, bilmiyorum."

"İyi ama, sen bilmeyeceksin de kim bilecek? Beni sen doğurdun!"

"Nereden bileyim çocuğum, benim aklım defter mi? Hem ne olmuş? Bileceksin de ne olacak? Kardeşlerinin doğum tarihi de belli değil. Ne diye bu kadar üstüne düşersin, anlamıyorum ki."

Elindeki en sağlam tanık olan annesine konunun önemini hâlâ iyice anlatamadığına inanıyordu. Birkaç gün sürekli üzerine düştü, huysuzluk yaptı. Sorularından, sızlanmalarından iyice bıkan annesi konuyu araştıracağına söz verdi. Bir süre sonra beklediği yanıt geldi: "Oğlum, sen doğduğun zaman fasulyeler çiçek açıyordu."

Bu görüşü destekleyen başka tanıklar da bulunca hemen hemen araştırmalarına başladı. Önce fasulye yetiştirme hakkında bilgi topladı. Tohumlar nasıl seçilmeli, ne kadar derine ekilmeli, ne sıklıkla sulamak gerekir, toprağını kaç günde bir çapalamalıdır, çevre şartlarından nasıl korumalıdır..?

Kitaplar, fasulye için en iyi ekim zamanını Mayıs ayının ilk haftası olarak yazıyordu. Üstelik fen dersi öğretmeni de bunu doğrulamıştı. Fasulye ekimi için Mayıs'ın ilk haftasından daha uygun bir zaman olamazdı. Bu bilgilerle donandıktan sonra Nisan ayının bitmesini beklemekten başka bir şey kalmamıştı geriye.

Mayıs ayının ilk günlerinde işe koyuldu. Evin arkasındaki bahçede uygun bir köşe hazırladı. Fasulye tohumlarını hazırladığı yere ekti. Her sabah ve her akşam aksatmadan küçük ve büyülü fasulye bahçesini kontrol ediyordu. Kedi, köpek girmesin diye çevresine minik bir çit bile yapmıştı. Günler geçmek bilmiyordu. Zaman ilerledikçe daha çok sabırsızlanıyordu. Acaba tohumlarda bir sorun mu vardı? Acaba toprağı mı uygun değildi? Toprağı yararak yüzeye çıkan yeşil, minik fasulye gövdelerini gördüğü zaman sevincinden ne yapacağını bilememişti. Daha sonraki günler fasulyelerin boyunu ölçerek, yapraklarını, tomurcuklarını sayarak geçti. Sonunda ilk fasulye çiçeği kendini göstermişti. Heyecandan dakikalarca sevmiş, seyretmişti o çiçeği. O günün tarihini özenle defterine yazdı. Mutluluktan uçuyordu. Artık onun da bir doğum günü vardı. Gerçeğinden üç beş gün farklıydı belki, ama artık ne zaman doğduğunu, en azından hangi mevsimde doğduğunu kesin olarak biliyordu. Bu başarısını günlerce anlattı arkadaşlarına. Ballandıra ballandıra hem de.

Ne yazık ki sevinci uzun sürmedi. Aradan on gün geçmemişti ki, komşularının bahçesinde yeni yeni çiçek açan fasulyeleri gördü. Canı fena halde sıkıldı bu duruma. O günden sonra çevredeki diğer evlerin bahçelerine daha bir dikkatle bakmaya başlamıştı. Bir iki hafta sonra komşu birkaç bahçede daha yeni çiçeklenmiş fasulyelerle karşılaştı. Bu durum yaz sonuna kadar sürdü. Fasulye tarımına ilişkin bazı gerçekleri ömrü boyunca unutmayacaktı. Fasulyelerin en iyi ekim zamanı Mayıs ayıydı ama tüm bahar ve yaz ayları boyunca ekim yapılabiliyordu. Ne zaman ekilirse ekilsin birkaç hafta sonra çiçek açıyordu fasulye bitkisi. Doğum gününü belirleme düşleri yine suya düşmüştü.

O tarihten sonra doğum gününü bulmak için herhangi bir çaba harcamadı. Merak etmiyor değildi, elbette ediyordu. Fakat başarısızlıkları yüzünden hevesini yitirmişti. Yine de bir tesellisi vardı. Doğduğu tarihi bulma amacıyla yaptığı çalışmalar kızına yaramıştı. Kendi deneyimlerinin ışığında onun doğum tarihini titizlikle kaydetmişti birçok yere. Kızının ne zaman doğduğu biliniyordu, hem de saniyesine varıncaya kadar. Aldığı notta havanın kapalı olduğu bile yazılıydı.

Belirsiz bir zamanda doğmuş olmanın, dünyada belirsiz bir süredir bulunuyor olmanın tadını çıkarıyordu artık. İnsanın doğduğu tarihi bilmiyor olması o kadar da kötü değildi aslında. Ne zamana kadar yaşayacağını bilmemek bu şekilde daha katlanılır oluyordu ona göre. İnsanların zamana ilişkin algısı çoğu kez dile getirdiklerinden farklıydı. Hem sanki süre belirsiz olunca ister istemez niteliğe, kaliteye önem veriyordu insan.

Fasulye yemeği yediği zamanlar tabaktaki fasulyelerin kendisine cin cin baktığını ve bıyık altından güldüğünü görür gibi oluyordu.

KENGERİN DİKENLERİ

İşittiği sesin nereden gelmiş olabileceğini anlayabilmek için dikkatle çevresine bakındı. Olağandışı bir şey göremedi. 'Olur böyle şeyler,' diye düşündü. 'Üzerinde durmamalıyım. Çok yoruldum, herhalde ondandır. Hem bugün uykumu da alamamıştım. Dinlenmeliyim, böyle giderse boşluktan ses de gelir insanın kulağına, başka şey de. Gidip kendime bir kahve yapayım en iyisi.'

Kendini zorlayarak yerinden kalkmak üzere öne doğru hamle yaptı, sonra vazgeçti ve oturdu. 'Hayır hayır, kahve hiç iyi gelmez şimdi,' diye düşündü. 'Zaten yeterince içtim. Bütün gün kahve, çay. Buna bir sınır koymalı artık... Saat kaçtır kim bilir, sabah olmak üzeredir herhalde. Nasıl da dalıp gitmişim. Son günlerde kendimi çok fazla hırpalıyorum. Uykusuzluk bir yandan, yorgunluk bir yandan. Bir duş alsam hiç fena olmayacak.'

Tam yerinden kalkacaktı ki, aynı sesi yeniden işitti. İrkildi, tüyleri diken diken oldu. Gözlerini ovuşturdu. Çevresine bakındı. Kimse yoktu, ev halkı çoktan uykuya dalmıştı. Gece ve o yapayalnızdılar. Perde aralığından zaman zaman uzaktaki yoldan geçen araçların ışıkları görülüyordu sadece. Gün içinde zaten çok gürültülü olmayan sokak iyice sessizliğe bürünmüştü. Sinek vızıldasa işitilirdi. Gecenin donuk sessizliği içinde yankılanan metalik ses çok net bir şekilde işitiliyordu:

"Merhaba yitik insan!"

Korka korka odanın her yanını gözden geçirdi. Kitaplığın raflarını, perdenin arkasını, masa ile kalorifer peteğinin arasında kalan boşluğu, her yeri ama her yeri dikkatle, tek tek inceledi. Gözüne farklı bir şey çarpmadı. Her şey yerli yerindeydi ve olağandışı bir durum yoktu. Bu ses nereden geliyordu o zaman? Bir kaynağı olmalıydı mutlaka.

"Paniğe kapılmamalıyım," dedi içinden. "Bir açıklaması vardır elbette."

Soran gözlerle karşısında duran bilgisayar ekranına baktı uzun uzun. Ekran koruyucu program devreye girmişti. Uçuşan geometrik şekilleri izledi bir süre, her birini soran gözlerle uzun uzun inceledi. Sonra gözleri parlayarak ellerini masaya vurdu:

"Hah! Elbette ya! Olsa olsa bilgisayardan geliyordur, başka nereden olacak. Her türlü zıpırlık beklenir bunlardan. Ben en iyisi kapatayım şu mereti de kurtulayım. Gecenin bir vaktinde durup dururken kafayı yemenin sırası değil."

Elini kararlı bir şekilde bilgisayara doğru uzattı. Tam düğmeye basacaktı ki:

"Bekle. Bekle yitik insan. Acele etme!"

Durdu, kalakaldı. Bir süre için bir şey söylemekle söylememek arasında kararsızlığa düştü. Daha sonra büyük bir korkuya kapıldı. Boğazı kurumuş, soluğu kesilmişti. Şaşkın gözlerle yeniden çevresini incelerken boğuk bir sesle sordu:

"Sen de kimsin?!"

Sözcükleri o seçmemiş, kendiliğinden dökülüvermişti ağzından sanki. Şaşkınlıktan dilini yutacak gibiydi. Bir ter damlasının ensesinden aşağı soğuk soğuk aktığını duyumsadı.

"Ben, Kenger," dedi ses. "Tanıdın mı?"

Eli ayağı birbirine dolaştı, korkusunu yenmeyi uzun süre başaramadı, ardından kesik kesik ve endişeli bir sesle sordu:

"Kenger mi? Hangi Kenger? Kim? Yani nasıl?" diye mırıldandı zorlukla.

"Doğru ya, aradan çok zaman geçti. Hatırlamakta zorlanabilirsin. Ben bir otum."

Gözleri daldı bir süre, üst üste birkaç kez burnunu kaşıdı. Alt dudağını ısırdı sıkıntılı anlarında yaptığı gibi. Sonra kelimelerin her birini titizlik ve tedirginlik içinde seçerek:

"Benim bildiğim kenger üç beş yaprağı olan, yeşil, cılız bir bitkidir," dedi. "Dağlarda, taşların çevresinde, orada burada yetişir."

"Hatırlamaya başladığına sevindim. Biraz çaba gösterirsen daha da iyi hatırlayabilirsin . Dur, ben sana yardım edeyim istersen. Dediğin gibi cılız, zavallı bir bitkiyim ben. Sıradan bir 'ot'um yani. İnsanlar pek sevmez beni. Yemek yapmak için dağdan toplanan otlar arasında kengerin en son sırada olduğunu söylemek hiç de yanlış olmaz. Bu bakımdan 'haylin' otunu hep kıskanmışımdır. Haylin baş tacıdır. Her türlü yemeğini yaparlar onun. İnsanların dağdan topladıkları haylin otları arasından beni ayıklayıp çöpe atmaları o kadar gücüme gider ki, sorma. Çünkü yapraklarım dikenlidir benim. Diken dediysem öyle kocaman sivri dikenler gelmesin aklına. Cılız, çelimsiz, minicik dikenlerim vardır. Bu yüzden pek bir işe yaradığım söylenemez, yemek falan olmaz benden. Sadece köklerim kullanılır yiyecek olarak. Bulgura katılarak pilavı yapılır, 'ekşileme' pişirilir yani, o da ancak bulgurla, tek başına değil. Dikenli olduğum için hayvanlar bile otlanırken beni pek fazla yemezler. Ancak çok zorunlu kalırlarsa, o da açlıklarını köreltecek kadar."

Kaşlarını çattı iyice, gözleri bir noktaya takıldı kaldı, düşüncelere daldı. "Evet, evet biliyorum. Kengeri bilmez miyim canım," diyebildi sonunda. Tükürüğünü yutup kuruyan boğazını ıslatmak istedi. Fakat ağzında tükürükten eser yoktu. Dili damağı birbirine yapışmıştı korkudan, konuşmakta zorlanıyordu, şaşkınlığı geçmemiş, tersine iyice artmıştı. Uzun uzun kulağını kaşıdı. Sol elinin işaret ve başparmaklarıyla burnunu sıvazladı birkaç kez. Kendini toparlaması gerekiyordu. Burada oturup boşlukla konuşmayı sürdüremezdi. Bunları düşünürken bir yandan da elinde olmadan boğuk ve yavaş bir sesle,

"Kenger, kenger," diye söyleniyordu. Uykuda olduğuna, bir süre sonra uyanacağına ve bütün bu olanlara gülüp geçeceğine kendini inandırmaya çalışıyordu. Fakat bu çabasının başarıya ulaştığını söylemek çok zordu.

Biraz toparlandığını hissedince sinirli sinirli mırıldandı:

"Peki, söyle bakalım, gecenin bu vaktinde benim evimde ne işin var!?"

"Neden kendini bu kadar hırpalıyorsun diye merak ettim? Hayatın tadını çıkarmak varken ne diye her dakikanı işkenceye çeviriyorsun?"

"Nedir bu, bir sorgulama mı?"

"Hoppalaaa.. Eski tanışıklığımıza dayanarak yardımcı olmak istedim sana, hepsi o kadar. Sorgulamayı da nereden çıkarıyorsun yitik insan?"

"Neden bana ikide bir yitik insan diyorsun? Niçin yitik oluyormuşum ben?"

"Bak canım kardeşim. Ben bir sanal kengerim. Zaman boyutunda seni arıyorum, ama tam olarak bulamıyorum. Bulanık, silik belli belirsiz görüyorum seni. Var ile yok arası bir şeysin, sözün kısası, yitiksin yani. Ben ne yapayım? Sanal bir kenger olarak sana yitik insan demekten başka çarem yok. Kusura bakma."

"Kenger misin nesin! Seninle uğraşamayacağım. Zaten yeterince derdim var benim. Her gün kaç çeşit sorunla boğuştuğumu biliyor musun sen?"

"Bilmek isterdim doğrusu. Çok mu sorunun var? Ne mesela?"

"O kadar çoklar ki, hangisini saymamı istersin?

Önemlisi, önemsizi. Kolay olanı, zor olanı. Ev sorunu, semt sorunu, kent sorunu, ülke sorunu..."

"Peki bu sorunlar karşısında ne yapıyorsun? Nasıl bir tutum takınıyorsun?"

"Ben sorunlara karşı her zaman mücadeleci, yapıcı ve çözümcü bir yaklaşım sergilerim."

"Bundan emin misin? Çünkü seninle ilgili gözlemlerim öyle değil. Bunu söylediğim için üzgünüm ama, bence senin çözümcü yaklaşım sergilemekle bir ilgin yok, sen sorunlardan kaçıyorsun!"

"Yapma ya! Ben mi kaçıyorum sorunlardan? Hiç de değil!"

"Evet, kaçıyorsun. Onlardan olabildiğince uzak kalmaya özen gösteriyorsun. Bence iyi yaşamadığını düşünüyor olman büyük ölçüde bundan kaynaklanıyor!"

"Dur bir dakika, dur. Sen neler söylüyorsun? Bir anda hem suçluyor, hem yargılıyor hem de cezalandırıyorsun. Sorunlardan kaçtığımı da nereden çıkarıyorsun, anlamadım. Ne yapıyorum ki sorunlardan kaçıyorum kenger otu?"

"Hiç bir şey. Mesele de bu zaten, senin herhangi bir şey yapmayışın."

"Ben sorunların üzerine üzerine giden, sorunlara çözüm yolları arayan, yapıcı bir insan olduğuma inanıyorum. Sen kalkmış benim kaçtığımı ileri sürüyorsun. Bunu kabul etmemi bekleme!"

"Bu şekilde ne kadar tartışsak da bir yere varamayız. En iyisi bir örnek üzerinden konuşalım. O zaman daha iyi ifade edebilirim kendimi. Olur mu?"

"Olur tabii. Neden olmasın."

"Peki, o zaman bir sorun seç ve o sorunla ilgili düşüncelerini anlat."

"Mesela. İşsizlik sorunu! Bugünlerde üzerinde çok duruluyor. Gerçi her zaman popüler bir sorundur işsizlik. Çünkü hiç ortadan kalkmaz."

"Tamam, nasıl istersen. Seni dinliyorum. İşsizlik sorunu hakkında ne düşünüyorsun? Söyle bakalım."

"Öncelikle belirtmeliyim ki, işsizlik gerçekten çok ama çok önemli bir sorundur. İşsizliğin fazla olduğu bir ülkede, gelecek diye bir şey kalmamış demektir. Neden dersen, geleceği yapacak olan insanlardır. Ve insanlar da yaratıcı olabilmeleri, geleceği şekillendirebilmeleri için bir işe ihtiyaç duyarlar.

Ülkemizdeki işsizlik sorunu aslında çok eskilere dayanan yanlış politikaların ürünüdür. Yanlış uygulamalar ve politikalar izlenmemiş olsaydı, günümüzde işsizlik bu düzeyde olmazdı. Geçmiş yönetimlerin işsizlik konusundaki sorumluluğu gerçekten büyüktür. Bir kere geriye dönüp baktığımızda, işletmelere verilen kredilerin hem yetersiz olduğunu, hem de adil bir şekilde dağıtılmadığını görmekteyiz. Siz kalkar da batacağı kesin olan bir işletmeye devletin parasını bol keseden akıtırsanız, sonunda ne olur? O işletme kara geçemediği için yeni iş olanağı da yaratamaz. En iyi olasılıkla elindeki insan gücünü korur, yeni insanlara iş sağlayamaz. Tabii bu neden böyle oluyor, işler ahbap çavuş ilişkisiyle yürütüldüğü için. Torpilin varsa her şeyi yaptırabilirsin bu memlekette..."

"Dur bir dakika, dur!"

"Neden?"

"Neden olacak, söylediklerinin içinde işe yarar herhangi bir şey yok da ondan. Düşüncelerin işsizliği ortadan kaldırmakla ilgili en ufak bir zeka kırıntısı içermiyor. Biraz daha somut şeyler söylemelisin."

"Peki, tamam.

Bizim memleketimizde ne yazık ki her konuda olduğu gibi bu konuda da plansızlık, programsızlık hakim olduğu için, sağlam bir ekonomi politikası bir türlü hayata geçirilememiştir. İktidara gelen hükümetler ülke ihtiyaçlarını değil, öncelikle kendi siyasi geleceklerini düşünerek hareket etmişlerdir. Bu yüzden işsizlik başta olmak üzere, tüm problemler ortadan kalkacağına tam tersine semirip beslenmiş ve bugünlere kadar gelinmiştir..."

"Ama sen hâlâ işsizliğin tarihçesinden, ona kimlerin ve nasıl yol açtıklarından dem vuruyorsun. Bu söylediklerin sadece geçmiş zamanla ilgili. Yani yaşanmış bitmiş şeyler bunlar, değiştiremezsin ki. Zamanını geçmiş için bol keseden harcıyorsun böyle yaparak. Hem de büyük bir savurganlıkla. Yarına, öbür güne yönelik düşünmeli ve konuşmalısın."

"Ama sen de biraz sabırlı olmalısın. Bekle, ona da geleceğim.

Eğitimin önemine de değinmek gerekir. Çünkü eğitim her şeyin temelidir. Biliyoruz ki, eğitim olmadan nitelikli işgücünün oluşması mümkün olmaz. Eğitilmemiş insan gücü, işe alım amaçlı olarak kullanılamaz. O yüzden işsizlik konusunda diğer faktörler kadar eğitimsizlik de önem taşımaktadır. Dolayısıyla eğitim ciddi anlamda önem taşıyan can alıcı bir unsurdur. Şimdi siz bir fabrika ya da atölye kurmak için yola çıksanız, haklı olarak yapacağınız işe uygun bilgi ve becerileri olan insanları işe almak ve onlarla işe girişmek istersiniz. Öyle değil mi? Aksi takdirde işinizde başarılı olmanız mümkün olamaz. Bu çok açık. Ama bilgi ve beceri kazanmış insanları bulamadığınız takdirde yaptığınız iş de yarım kalır. Her şeye rağmen işime devam edeyim, deseniz, o zaman da işinizde başarılı olmanız mümkün olmaz ve bir süre sonra ülke ekonomisine katkıda bulunmak şöyle dursun, tam tersine yük olmaya başlarsınız…"

"Çözümcü bir insan olduğunu kabul etmemiz tam bir hayal! Çünkü hiç bir somut öneri yok söylediklerinin içinde. İşsizliğin çözümü için kim, ne zamana kadar, nasıl, nerede ve ne yapacak? Bu sorulara herhangi bir cevap getirmiyorsun."

"İyi ama kenger otu! Bir soruna yol açan nedenleri bilmeden nasıl çözüm üretebiliriz ki? Tabii ki sebepler üzerinde durmak gerek."

"Bak şimdi; bir sorunu ortadan kaldırmak için yapılanları iki adımda inceleyebiliriz: Tanımlama ve çözüm. Birinci adım sorunun ortaya çıkmasına neden olan etmenleri araştırır. Yapılan yanlışları gerektiği kadar inceler. Sebepleri bulur. İkinci adım ise çözüm için yapılması gerekenleri ele alır. Eğer zaman sırasına koyarsak tanımlama 'geçmiş zaman', çözüm ise 'şimdiki zaman ve/veya gelecek zaman' ile ilişkilidir.

Sorunları ele alırken tanımlama adımına saplanıp

kalmamak, bir an önce çözüm adımına geçmek gerekir. Aksi takdirde zaman ve enerji boşa harcanmış olur. Tanımlama adımı içinde gereğinden fazla oyalanmak, geleceği, geçmiş için harcamaktan, çar çur etmekten başka bir şey değildir."

"Ben de çözümler gösteriyorum zaten. Dinle biraz! İşsizliğin ortadan kaldırılmasında eğitimin önemi tartışılmaz. Eğitim konusuna baktığımızda ise durum iyice içler acısı. Ülkemizin eğitim sistemi açısından durumu herkes tarafından biliniyor. Artık tam anlamıyla çökmüş durumda. Tam bir vurdumduymazlık içinde olan ilgililer eğitim konusunda da herhangi bir akılcı tavır içinde değil. Zaten bu memlekette doğru dürüst yürüyen ne var ki! Herkes kendi cebini doldurma derdinde."

"Çözüm, yitik insan çözüm! Sadede gel artık."

"İşsizlik sorununu çözmek için bir kere hemen bir plan çerçevesinde yeni işe alım olanakları araştırılmalı ve bunlar devreye sokulmalı. Mevcut işyerleri ve fabrikalardaki iş olanaklarının akılcı bir şekilde koordinasyonu mutlaka sağlanmalı. Ülkemizin ihtiyaçları doğrultusunda derhal tüm önlemler alınmalı."

"Aman da aman, aman da aman. Sevsinler seni! Neler de bilirmiş, neler de söylermiş."

"Neden, ne oldu?"

"Bunlar son derece sıradan, basmakalıp, bayat ve sıkıcı cümleler. Bunları zaten herkes biliyor. İşsizliği ortadan kaldırmak için elbette iş olanakları araştırılmalı ve bunlar devreye sokulmalı. Başka bir şey araştırılacak ve devreye sokulacak değil ya!

Mevcut işyerlerindeki olanakların akılcı bir şekilde koordinasyonu yapılmalı. Gerekli tüm önlemler zaten alınmalı. Laf mı yani! On iki yaşındaki bir çocuğa bile uygun şekilde sorsan sana aynı cevapları kolaylıkla verebilir. Bunları düşünmek için herhangi bir zihinsel faaliyet, bir çaba ya da bir araştırma gerekmiyor ki."

"İyi de, seni memnun etmek mümkün değil ki be kenger kardeşim. Benim ne söylememi beklediğini anlayabilmiş değilim inan ki."

"Çözümcü insan öneriler getirir. Hangi önlemler? Ne planı? Nasıl bir koordinasyon? Öneri dediğin bunların cevaplarını içermeli. Senin söylediklerinin arasında bunların hiç biri yok ki! Laf salatasıyla hiç bir yere varılamaz! Senin söylediklerin çözüm gibi görünüyor fakat, bunlar aslında sorunu tanımlamanın yüzlerce farklı çeşidinden bazıları."

"Aslında yapılacak olan şey işsizlikten canı yananları bir araya toplayıp arka arkaya çok sayıda gösteri yapmak. En iyi çözüm önerisi bu bence. Belki o zaman bu sorunun bu kadar büyümesine yol açmış olanlar..."

"Gösteri yapmak, ağlamak, sızlamak, protesto etmek, bağırıp çağırmak sorunun giderilmesine genellikle katkı sağlamaz. Bu tür tepkiler çoğu kez suçluların daha becerikli olmalarını tetikler. Yaptıklarını daha iyi gizlemelerine sebep olur. Protestocuların durumu fark etmesini engellemek için yeni yollar bulmalarına yol açar. Çünkü sorunun çözümünü kimse bilmiyor. Suçlu ve sorumlu olanlar da bilmiyor ki çözsünler!

Takılıp kalıyorsun suçlulara. Kim ne kadar sorumlu,

asıl yanlış nerede, kahrolsun bunu yapanlar, tüyü bitmemiş yetim hakkı yenmesin, sorumlular hesap versin, vs. vs. Bir sürü ıvır zıvır; kısacası boş laf."

"Ne yani, sorumlular masum mu? Hesap vermesin mi? Herkesin ettiği yanına mı kalsın?"

"Sorumlular hesap versin ya da vermesin, sorunun kendisi için bunun bir önemi ya da etkisi yok ki! Sorumlular hesap verince sorun ortadan kalkmıyor ki. Hem işin o kısmı hukuk sisteminin, güvenlik güçlerinin görevi."

"Bence sorumluluğu olan sonucuna katlanmak durumunda. Bu çok doğal."

"Bütün zaman ve enerjini sorumluları bulmaya ayırırsan, onları lanetlemeye, bağırıp çağırmaya, eleştirmeye, protesto etmeye harcarsan ele aldığın 'sorun'a iyilik yapmış olursun. Bunların hepsi zamanı çöpe atmak, o kadar! Sorun olduğu yerde duruyor, soruna bir şey olduğu yok. Çoğu kez semiriyor, serpiliyor, büyüyor. Çünkü her şey bir yana, zaman geçiyor. Hem de durmak dinlenmek bilmeden geçiyor. Sen bunlarla uğraşırken aynı konuda yeni başka sorunlar boy gösteriyor."

"İyi de, sanki her şeyin sorumlusu benmişim gibi konuşuyorsun. Haksızlık değil mi bu? İşsizlik sorununu ben çıkarmadım ya."

"Peki, o zaman başka bir sorunu ele alalım ve onunla ilgili olarak neler söyleyeceğini görelim. Madem ki çok sorunun var, o halde seni en çok rahatsız edenlerden birini söyle bakalım. Ama şöyle her gün karşılaştığın, her gün yaşamak zorunda kaldığın bir şey olmalı. Üzerinde fikir yürütebileceğin bir sorun olmalı. Var mı öyle bir sorun?"

"Var tabii. Olmaz mı? Hem de kaç tane. Örneğin oturduğum apartmanda bina kapısından içeri girerken neredeyse perende atmak zorunda kalıyoruz. Ayağımızı basacak doğru dürüst bir basamak bile yok. Yağmurda yaşta üstümüz başımız berbat oluyor. Taşa basıyorum diye güvenle ayağını ileri atıyorsun, sağlam bir şekilde yerleştiriyorsun, yerden foşş diye öyle bir su fışkırıyor ki, belden aşağısı sırılsıklam! Sonra merdivenlerden çıkarken duvarlara bakmaya yürek ister. Leş gibi. O kadar rezil yani. Daha yeni boyandı, fakat kirden pastan boyanın rengini kestirmek bile olanaksız."

"Bu güzel bir örnek olabilir o halde: oturduğun apartmandaki duvarlarının kirliliği sorunu. Konuş bakalım. Yapıcı ve çözümcü yönlerini sergile. Bu sorunu ortadan kaldırmak için ne yapılmalı?"

"Şimdi bizim apartmanın duvarları çok kirli. Neden kirli? Çünkü insanlar temiz tutmuyorlar. Açıklaması bu kadar basit! Bizim insanımız böyle işte. Kendine ait olmayanı hor kullanır. Ortak mal olduğu için dikkat etmiyor. Kendi malı olsa gözü gibi bakar ona. Pırıl pırıl, tertemiz tutar. Bu konuda herkes biraz daha ciddi olsa, merdiven çıkarken, eşya taşırken daha dikkatli davransa duvarlar yıpranmaz, kirlenmez. Paldır küldür taşırsan ne olur, doğal olarak duvara çarpar. Çizer, iz bırakır, kirletir. Koyu renk çizik olarak görülen izlerin hepsi eşya çarpmasına bağlı..."

"Bak tanımlamaya daldın gittin yine. Kurtar kendini

oradan.

Tanımlama adımına takılıp kalınca sorunu çözmeye çalışmıyor onu adeta görmezden geliyorsun. Görmezden gelmekle de kendi benliğine çok önemli mesajlar veriyorsun: Ben hiç bir şey yapamam. Elimden bir şey gelmez. Ben aciz bir insanım. Elimdeki olanaklar, beynim, kol gücüm, becerilerim; hepsi hava cıva! Ben işe yaramaz bir varlığım. Vesaire, vesaire.

Bu mesajların farkında olmazsın sen. Bilinçaltına her gün tekrar tekrar kazınır bunlar.

"Sonra ne mi olur. Görmezden geldiğin sorunları hatırlamazsın, onlar aklına bile gelmez. Fakat kendinle yaptığın muhasebede bu tutumun bedeli mutlaka bir yerde karşına çıkacaktır.

Gürültüye dayanma gücün azalacaktır mesela ve sudan sebeplerle evdekilere bağıracaksın, 'Susun da kafamızı dinleyelim şurada!' diyerek örneğin, kafanda dinleyecek bir şey olmasa bile. .

Ya da birden parlayıvereceksin en olmadık görüşmenin, sohbetin en uygunsuz yerinde. Sonra da kendini kötü hissedeceksin. Kendinden nefret edeceksin belki de.

Bu davranışlarının sebebi olarak hiç bir zaman sorunları görmezden gelmeni düşünmeyeceksin elbette. Başka sebepler arayacaksın bu davranışların için. Belki arkadaşlarını her zamankinden daha fazla eleştireceksin. Belki de havaların değişmesine bağlayacaksın, ya da basit bir üzüntü kaynağını göreceksin sebep olarak, onu abarttıkça abartacaksın, aslında kendini kandırdığını bile bile.

Kendine olan güvenin sarsılacak. Fakat sen bunu fark edemeyeceksin

Kısacası yitik insan, sorunları görmezden gelmek kesinlikle kaybettirecek bir tutumdur, bilmiş ol. Hem de neyi, ne zaman ve nasıl kaybettiğini fark etmene izin vermeden. Kötü yaşaman da yanına kâr kalıyor bu arada.

Karşılaştığın sorunlarla ilgili olarak sen, kendin bir şey yapmadıkça kendini beslemiyorsun. Aç kalıyor, bitkin düşüyor benliğin. Sen sen olmuyorsun yani, yitiyorsun!"

"..."

"Şimdi söyle bakalım yitik insan."

Öfkeyle sözünü kesti kengerin:

"Haddini bilsen iyi olur! Kenger misin nesin! Çek artık şu dikenlerini üzerimden! Yitik insan, yitik insan. Ne bu be! Sensin yitik! Gecenin bir yarısında seninle uğraşacak değilim!.. Artık bu saçmalığa bir son versem iyi olacak!"

Kapatmak için elini bir kez daha bilgisayarın düğmesine uzatmıştı ki, işittikleri onu yine durdurdu:

"Biliyor musun, tıpkı yıllar önce bana tekme atarken de böyle sinirliydin."

Elini geri çekti. 'Onu tekmelerken mi?' diye düşündü, 'Bu da nereden çıktı şimdi?' Bu sözler gerilerde bir zamandan gizemli bir anıyı getiriyordu aklına. Bulanık, tam olarak seçemediği, büyülü bir anı. Bir sigara yaktı. Aniden sakinleşmişti. Bilgisayarı kapatmayı düşünürken sanki gizli bir el gelmiş, düğmesine basmış ve onu kapatmıştı. Durgun, uysal ve sessiz bir insan oluvermişti birden. Çenesini tatlı tatlı kaşıyan, hafif hüzünlü, buruk ve düşünceli bir insan.

Korkusu, şaşkınlığı tamamen yok olup gitmişti. Sanki bilgisayardan geldiğine inandığı bu sesi hiç işitmemişti, deminden beri boşlukla konuştuğunu düşünüp endişelenen o değildi sanki.

Anılarının dayanılmaz çekiciliğine doğru kendini bıraktı usulca. Yüksek bir tepeden boşluğa doğru süzülür gibi. Bulutların üzerinde uçarken elini uzatıp bir yumak bulutu yakalamak ister gibi. Kengerin söylediklerini hiç bir tepki vermeden, perdenin aralığında uzayan gecenin içinde bir yerlerde bulduğu ufka gözlerini bağlayarak, sakin sakin dinliyordu:

"Kırmızı kayalar vardı hani. İneği otlattığın çayırlığın tam karşısında.

Uçağı görebilmek için ne çok çabalamıştın. Ağaçlara tırmanmış, yüksek taşların üzerine çıkmış, elini alnına siper ederek uzun uzun gökyüzünü incelemiştin. O kulak tırmalayıcı sesi uçak sesi sanmıştın. Biraz kendini zorla bakalım, yine işitebilecek misin o sesi.

Belli belirsiz bir uğultu olarak başlıyor, giderek yükseliyor, yükseliyor, sonra birden şiddeti azalarak yok oluveriyordu ses. Kırmızı kayaların arkasından geliyordu, oradan geçmekte olan uçakların sesiydi, bundan emindin. Ne çok küfretmiştin kırmızı kayalara. Uçakları görmeni onlar engelliyordu. 'Şu lanet kırmızı kayaların tepesine bir çıkabilsem,' diye düşünüyordun. 'Çayırlığı, dereyi aşarak bir gidebilsem oraya kadar. Kendi gözlerimle şu uçağı bir görebilsem… 'Acaba ne yapsam şu uçağı görebilmek için?' diyordun içinden.

Oysa kırmızı kayalar senden çok uzaktaydı. Dokuz, on yaşlarında bir çocuktun daha. Kırmızı kayalara ulaşmak küçücük adımlarınla yıllar sürebilir gibi geliyordu sana. Hem, boz ineği ne yapacaktın? Sana otlatman için emanet edilen, sütünü yoğurdunu yediğiniz boz ineği. Alnında bembeyaz küçük bir perçem bulunan minik "sakar" yavrusunu, sevmeye doyamadığınız boz ineği terk edemezdin ki. Sen uçağı görebilmek amacıyla onu orada bırakır, kırmızı kayaların tepesine çıkmak için gidersen ve o da kaybolursa, akşam eve döndüğün zaman ne söyleyecektin annene babana?. Alıp başını giderse, başka köylere, başka insanların hayvanlarına karışırsa ne yapacaktın? İnek bu, yapar mı yapar. Ya da diyelim ki, canavarlar yese boz ineği, sana, 'Ellerin armut mu topluyordu?' demezler miydi? Boz ineğin kaybolduğunu nasıl açıklayacaktın babana, annene, kardeşlerine..?

O gün boz inek de payına düşeni almıştı senin öfkenden. 'Bütün bunlar senin yüzünden başıma geliyor' diye az mı taş fırlattın hayvancağıza. Kafası gözü neresi geldiyse çarpan taşlardan kim bilir ne kadar canı yanmıştır. Oysa zavallı ineğin ne suçu vardı ki? Tarlada bahçede pek bir işe yaramazsın diye düşünen annen ve baban, onu otlatman için seni görevlendirmişti. Son birkaç yıldır boz ineği otlatmak senin görevindi zaten. Çifte çubuğa yardım edecek kadar büyük değildin daha.

Yapmadığın şey kalmamıştı. O gün akşama kadar defalarca o sesi işitmiştin. Uçağı kendi gözlerinle görme isteği yüreğinde büyüdükçe büyüyordu. Ağaçlara, taş yığınlarının ve büyük kayaların üzerine tırmanmaktan usanmış, boz ineğin sırtına bile çıkmıştın. Az kalsın düşüyordun hatta. Fakat olmuyordu. Ne yapsan boşunaydı. Uçağı bir türlü göremiyor, her seferinde de öfkeden kudurmuş bir halde başka bir yol düşünmeye çabalıyordun.

Denemekten yorulmuş, çok az da olsa çaresizlik ve ümitsizlik doldurmuştu içini. Giderek hevesin kırılıyor ama vazgeçmiyordun. Son bir umut diyerek ellerini yere koymuş, sırtını dikleştirmiş ve başını bacaklarının arasından geçirerek tersten bakmayı denemiştin, biliyor musun... 'Olmaz, kesinlikle olmaz. Göremem. Ama ben yine de bir deneyeyim,' diyerek. O halin gerçekten çok komikti. İşte seninle o zaman tanıştım ben. Dengeni sağlayamadığın için devrilmiştin. Başın yapraklarımın arasına düşmüş, dikenlerim yüzüne gözüne batmıştı. Yüzündeki çiziklerden ince ince kan sızmaya başlamıştı. Öyle çok fazla canın yanmadı elbette. Benim incecik, cılız dikenlerimden ne olacak ki? Ateş olsam düştüğüm yeri yakardım çok çok. Fakat yine de bana çok sinirlenmiş, uçağı görebilmek için yaptıklarının bir işe yaramayışının faturasını bana çıkarmıştın. Tıpkı şimdi olduğu gibi, çok sinirlenmiştin bana. Bastın tekmeyi, bastın tekmeyi. Ne çok küfür etmiştin, hatırlayabiliyor musun?

Yerimden kalkıp işittiğin sesin uçaktan gelmediğini, kırmızı kayaların arkasındaki asfalt yoldan geçen otobüs, kamyon ve otomobillerin sesi olduğunu anlatamazdım sana. Çünkü ben bir ottum. Değil konuşmak, yapraklarımı kıpırdatmak için bile esintiye ihtiyacım vardı.

O sesin uçaktan değil, karayolu araçlarından geldiğini öğrenmen için zaman gerekecekti, yaz tatilinin sonunu bekleyecektin. Okulda öğretmenine sorup öğrenecektin, attığı kahkahaya birazcık içerleyerek.

Yıllar sonra okyanus üzerinde uçarken o günü yeniden yaşayarak tatlı tatlı gülümseyecektin kendi kendine. Büyük bir devin ağzından içeri giriyormuş gibi hissedecektin o kocaman uçağın içine girerken. Yanında oturan -sonradan iyi dost olduğunuz- Japon gencin garipseyen bakışlarına aldırmayacaktın gülümserken."

----- oOo -----

Uyandığında terden sırılsıklam olmuştu. Korktuğu için değildi terlemesi, havanın sıcak olması, yorgunluk, daha doğrusu bitkinlik, uykusuzluk. Hepsi üst üste gelmişti. Bir süre yatağın içinde oturarak esnedi, saçını başını kaşıdı, boş boş baktı çevresine. Sonra yastığının kuru tarafını çevirerek yeniden uyumaya çalıştı. Ama boşunaydı. Gördüğü rüyanın etkisinden değil ama, rüyanın içeriğindeki ayrıntılar uykunun yanından geçmesini bile olanaksız kılıyordu. Hem epeydir ilk kez uykusunu da almış sayılırdı.

Kengeri tekmeleyişinin üzerinden ne kadar zaman geçtiğini düşündü. İçinde kenger otuna karşı sımsıcak bir yakınlık doğduğunu hissetti. Onu sevimli ve cana yakın buluyordu. Havadaki uçağı görmek için yaptıklarını sevimli bulmasıydı belki de buna sebep olan. Çocukluğundan beri havadaki uçakları görmeye karşı özel bir ilgisi vardı. Bugüne kadar uçak sesi işitip de başını yukarıya kaldırmadığı bir an olmamıştı hiç. Nerede ve hangi durumda olursa olsun, mutlaka gözünü gökyüzüne diker, bir süre bakardı. Uçağı görmesi ya da görmemesi önemli değildi. Kapalı alanda bile olsa bunu yapardı. Alışkanlıktı işte. Havadaki uçakları görmeye karşı engelleyemediği bir istek vardı onda.

Okyanus aşırı uzun uçak yolculuklarında özellikle gökyüzü kırmızıyken -ki gökyüzünün kırmızılığı uçağın içinde giderken çok uzun sürebiliyordu- uzun uzun pencereden bakar ve havada başka bir uçak görmeye çalışırdı. Denk geldiğinde de çocuklar gibi sevinir, içini bir heyecan kaplar ve gözden kayboluncaya kadar bakardı o uçağa. Bir keresinde bu yüzden yanında oturan yolcuyla neredeyse tartışacaktı. Adam pencere kenarında oturuyordu ve tuvalete gitmişti. Bu boşluktan yararlanıp pencereye gözlerini dayamış, uzun uzun havada uçak aramış, uzaklarda minik bir mermi gibi yol alan bir uçak keşfedince de pür dikkat onu izlemeye başlamıştı. O kadar dalmıştı ki, yerine oturmak için izin isteyen adamı duymamıştı bile.

Bir eliyle tuttuğu elektrikli su ısıtıcısının fokurdamalarını aldırmaz bakışlarla izlerken, diğer eliyle de akşamdan kalan salata artıklarını kaşıklıyordu. Geç saatlere kadar uyanık kalıp, öğleden sonraya kadar uyumanın herkesçe bilinen bedellerinden biriydi bu. Kahvaltı yapmak içinizden gelmediği için ne bulduysanız onu tıkıştırırsınız ağzınıza. Sanki o saate kadar uyumuş olmanızı gizlemek ve başkalarının ayıplamasından kurtulmak istiyormuşsunuz gibi.

Çalan kapıyı açmak için mutfaktan çıkarken telaşla ağzındaki lokmayı yutmaya çalışıyordu. Gelen kapıcıydı. Karşılıklı birer homurtuyla selamlaştılar. Yıldızları hiç barışmamıştı bu adamla. Kapıcı eline bir kağıt tutuşturdu. Bir yere de imza aldı, kağıdı aldığını kanıtlayan bir imza.

Üstünkörü baktığında kağıdın üzerinde koyu yazıyla bir tarih ve gün belirtildiğini fark etti. Çoğunluk sağlanamadığı takdirde on beş gün sonra aynı yerde, çoğunluk sayısı aranmaksızın apartman toplantısı yapılacaktı.

Takvime bakarak verilen tarihin hangi güne geldiğini belirledi ve aklına o tarihi yerleştirdi iyice. Kendine karşı bir bahane bulabilmesi için yeteri kadar zamanı vardı. Apartman toplantısına katılmasını engelleyecek çok önemli bir işinin çıkacağı düşüncesi ona şimdiden çekici gelmeye başlamıştı.

RADYO

Ne zaman durup dururken susmuş olsa, ne zaman bir sigara yaksa günün en olmadık saatinde, gözleri ufka dalsa hafif buğulu bakışlarla, hüzün dört bir yanını sarmış demektir. Böyle zamanlarda o radyo gelir aklına. İlkokul yıllarında tanıştığı, sonradan evlerinin değişmez bir parçası olarak kalan o şirin radyo. Sadece pille, doğru zamanda değiştirilmezse patlayıp akarak bulundukları yerin metallerini çürüten kocaman kocaman altı tane pille çalışan, o günlerin teknoloji harikası.

Radyo bir semboldür onun için. Bir kurtarıcıdır. Dar zamanlarda imdada yetişendir. Sıkıntılarından uzaklaştıran, onu adeta tamir edendir. Yalnızlık ve çaresizlik duygularından onu arındıran, hüzünden uzaklaştıran, karamsarlıktan kurtaran bir cansız kahramandır. Onun için haber okumaktan, müzik çalmaktan başka birçok işlevi vardır o radyonun. Bir radyo değil, sanki çocukluğudur bütün olarak. Hep arkasında hissettiği, onu itekleyen, yüreklen-

diren devasa bir lokomotiftir. Radyoyla ilgili anısı
benliğinde en temel itici güç olmuştur her zaman.
Yaşadığı hayatta etkileyici olmaya, teslim olmak
yerine karşı karşıya bulunduğu koşulları değiştir-
mek için çabalamaya yöneltmiştir onu hep.

Kendini berbat hissettiği zamanlarda, hüzünlendiği,
bakışlarının donuklaştığı anlarda, eğer konuşmaktaysa,
söyleyeceklerini tam olarak bitirmeden susar o. Gizli bir
el susturuverir sanki. Gözlerini kısar, hafiften kaşlarını
çatar.

Tam bir çöküntü içindedir. Yaşama sevincini hepten
yitirmiş gibidir. İçinden bir şeylere isyan etmek, karşı
çıkmak geçer sürekli. Öfke ve kızgınlıktan başka bir şey
hissetmez böyle zamanlarda. Yıkmak, yakmak, devir-
mek, parçalamak, her şeyi ve her yeri.

Beyninde bir yerlerde sürekli tekrarlanan birkaç söz
dizisi vardır. Bunların ne olduğunu o da tam olarak ta-
nımlayamaz aslında. Gizemli bir ses. Hayır ses değil,
birkaç kısa cümle belki. Çok farklı, çok değişik bir şey.
Camın buğusuna yazılmış gibi, her an gözden kaybola-
bilen, belli belirsiz birkaç kelime. Düşününce buluna-
bilecek türden olmayan birkaç cümle. Söze ya da yazıya
dökülerek anlatılması tam olarak mümkün olmayan bazı
duyguları simgeleyen bir kaç kavram dizisi de denebilir
bunlara. Sanki o radyo, tüm çocukluğunu simgeleyen o
müthiş cihaz, bir kasetçalara dönüşmüştür. Sürekli aynı
şarkıları çalan bir kasetçalara:

"Her şey boş ve anlamsız. Tatsız tuzsuz bir hayat yaşı-
yorum. Akıntıda kuru bir yaprak gibi su nereye götürürse

oraya gidiyorum. Ve bundan nefret ediyorum! Bir türlü işin içinden çıkamıyorum. Bir şey, gizli bir el beni frenliyor, önüme engeller çıkarıyor. Nedense istediğim gibi olmuyor. Zaten ben şanssız bir insanım. Neye elimi attıysam boş. Hiçbir şey arzu ettiğim gibi yürümedi. Hiçbir istediğim olmadı..." Bunun gibi şeyler işte.

Bunları hissederken radyonun silueti gözünün önüne gelir. Sevimli mi sevimli, sade mi sade, şirin mi şirin bir radyo silueti bu. Hayatının en mutlu günlerinden birini yaşamasını bu radyo sağlamıştı. O günkü mutluluğunu, o olağanüstü duygu yoğunluğunu unutması olanaksızdı.

Yeniliğe açık ve girişken bir insan olan babası, radyo alacağını söylemişti bir gün. Kardeşleri ve o, sevinçten çılgına dönmüşlerdi. Radyonun nasıl bir şey olduğunu çok merak ediyordu. Hiç radyo görmemişti o güne dek.

Köyde sadece başöğretmenin radyosu vardı. Evinin önünden geçerken sesini işitirlerdi, o kadar. Çocuklar ara sıra başöğretmenin evinin çevresinde oyalanır, radyo dinlerdi, açık olursa tabii. Bir keresinde Boğaziçi köprüsünün açılış töreni İstanbul'dan naklen veriliyordu radyoda. Cumhuriyet'in kuruluşunun ellinci yıldönümü de aynı gün olduğundan, hararetli konuşmaları ve marşları heyecanla dinlemişlerdi.

Arkadaşlarından radyonun içinde insanlar olduğunu, onların konuşup şarkı söylediğini işitmişti. Ne kadar heyecan vericiydi bunu düşünmek. İçinde insan olduğuna göre kocaman, kiler sandığı kadar bir şey olmalıydı radyo. O insanlar ne yer ne içer diye uzun uzun düşünmüştü. Radyo sahibi olmak herhalde bu yüzden kolay değildi, öyle ya, sofraya doyurulması gereken birçok yeni boğaz ekleniyordu. Zor olmasa herkesin bir radyosu olurdu.

Babasının radyo alma konusunda ciddi olduğunu evin büyük odasında en göze görünür yere bir raf yapmasından anlamışlardı. İki duvarın birleştiği köşe çizgisi üzerine, oldukça yükseğe, çaprazlama olarak tahta bir raf yerleştirmişti babası. Sonra onu her iki duvara bir güzel çivilemişti. Annesi özenle hazırladığı, kenarına kanaviçe işlediği beyaz örtüyü serdi rafın üzerine. Radyonun yeri hazırdı. Artık bütün iş alışveriş için her hafta perşembe günleri kente giden babasının, bir akşam radyo ile birlikte dönmesini beklemeye kalıyordu. Onun bir türlü anlayamadığı; içinde insanlar bulunan radyonun o kadar insanın ağırlığıyla duvarın köşesindeki bu küçücük rafa nasıl sığacağıydı, o minik raf parçası koskoca radyoyu kaldıramazdı ki. Bir kere en azından beş on kişi vardı herhalde radyonun içinde. Öyle ya, şarkı söyleyeni, türkü söyleyeni, çalgıcısı, haber okuyucusu...

Peş peşe yaktığı için genellikle elinde bir sigara olur. Uzun nefesler çeker sigaradan. Yüzünde ciddi bir ifade. Yo, hayır, "ciddi bir ifade" böyle zamanlarda yüzündeki anlatımı tam olarak yansıtmaz. Çok özel, çok farklı bir yüz anlatımıdır bu. Eski sinema filmlerinde karşılaşılabilen türden bir yüz anlatımı: Başrol oyuncusu güvenlik görevlileri tarafından yakalanmıştır ve cezaevine götürülmektedir. Sağında solunda birer polis ya da jandarma, ortada o, elleri kelepçeli.

Radyo alacağını söylediğinden bu yana hem o, hem de kardeşleri babasının bir dediğini iki etmiyorlardı. Önceden olsa mızmızlanıp olmazlanacakları birçok görevi seve seve kabul ediyor, bir an önce yerine getirmek için ellerinden gelen her çabayı gösteriyorlardı. Su istediğinde birbiriyle yarışıyorlardı suyu ona bir an önce getirebilmek için. Köyün alt tarafından eve seslenip bir şey istediğinde beş dakika içinde ona ulaştırılıyordu. Babası bu farklılığı seziyor, sebebini de biliyor ama görmezlikten, anlamazlıktan geliyordu. Zaman zaman bıyık altından gülüyordu, o kadar.

Geçmek bilmeyen günlerin ardından bir akşam, oldukça geç bir saatte, kucağında büyük, karton bir kutuyla kapıdan içeri girdi babası. Kutuyu yere koydu, birkaç kez derin derin soluk aldıktan sonra, "Radyo aldım," dedi. Evdeki herkes sevinç çığlıkları atarak başına üşüşüverdi. Babası dikkatli bir şekilde kutunun içinden radyoyu çıkardı, sedirin üzerine özenle yerleştirdi. Olağanüstü büyük değildi. Açıkçası biraz hayal kırıklığına uğramıştı. 'Babam bizi aldatıyor olmalı, bunun içine insan sığmaz ki,' diye düşünmüştü. 'Acaba babamı kandırdılar mı? Yoksa yalancıktan bir radyo mu sattılar ona?'

Elbette ki haksız yere suçlanmaktadır, başrol oyuncusu, yani filmin başkahramanı suç işlemiş olabilir mi hiç! Bu yüzden kısılmış gözler ve incelmiş dudaklarla keskin ve ciddi bakışlar atmaktadır çevresine. Kararlı, mağrur, sert, haksızlığa uğramış ve epeyce de öfkeli bakışlardır bunlar. Böyle anlarda herkes, her şey onun aleyhinedir. Ortada büyük bir yanlış anlama, büyük bir haksızlık vardır. Ona layık görülen, ona uygulanan aslında onun hak etmediğidir. Doğru değildir.

> Küçük bir sehpa büyüklüğündeydi. Ön yüzünün alt bölümünde çizgiler, çizgilerin üzerinde de istasyon isimleri vardı. Düğmesini çevirdikçe kırmızı renkteki istasyon ayar çizgisi sağa sola hareket ediyordu. Dış rengi siyahtı. Ön yüzünde ise ana hatlarıyla sarı renk hakimdi. İstasyon isimleri, siyah zemin üzerine sarı renkte yazılmışlardı. Sol ve sağ tarafında birer düğme grubu vardı. Ortada ve alt tarafta ise dalga tuşları yer alıyordu ve bunlar beyazdı. Beş dalga tuşunun en çok ortadaki kullanılırdı, orta dalga da o düğmenin altındaydı zaten. Zaman içinde abonesi haline gelecekleri Çukurova radyosunun çıktığı yerdi orta dalga. Kısa dalga, uzun dalga diye isimler alıyordu diğer tuşlar. Dalga sözcüğünün havada oluşan ses dalgaları olmadığını öğrenmesi zaman alacaktı.
>
> Düğme grupları kahverengi ile siyah arası renkteydiler ve uzaktan bakıldığında radyonun gözleriymiş gibi duruyorlardı. Aslında ön yüz ortalara doğru içe çöküktü, fakat karşıdan bakıldığında bu durum fark edilmiyor, radyoya kişilik kazan-

dırıyordu. Yandan bakıldığında ise yatırılmış bir üçgen piramide benziyordu. Sonradan çok çeşitli radyolar görecekti. Ama bu radyo başkaydı.

O ki herkesi memnun etmeye çabalamıştır olanca gücüyle. Yararlı ve güzel şeyler yapmaya uğraşmıştır. Fakat karşılığında elde ettikleri tam bir pişmanlığa, düş kırıklığına sürüklemiştir onu. Kaşlarının burnuna yakın kısımları düşük, dudakları sert ve kasılıdır. Genellikle elini yüzüne dayamış oturup, ufka, bulabildiği en yakın ufuktaki görülebilecek en uzak noktaya bakıyordur boş boş. Bakmak en iyi yaptığı iştir onun. Hiçbir şey görmüyormuş ve hiçbir şey düşünmüyormuş gibi bakmak.

Kimse onu anlamamıştır. Herkes beş para etmediğine inanmaktadır sanki. Oysa o bunun doğru olmadığını, taşıdığı bu bedenin ve sahip olduğu beynin aslında son derece güçlü, dolu ve değerli olduğunu kanıtlamaya hazırdır. Ancak elinde fırsat bulunmamaktadır. Daha doğrusu bu fırsat eline hiç verilmemiştir. Ondan esirgenmiştir sürekli olarak. Onun var olması hiç kimse için bir önem ve herhangi bir anlam taşımamaktadır. Dikkate alınmamak o kadar yaralayıcıdır ki. Yok sayılmak...

Alnında biriken terleri silen babası kendini toparlayınca hemen radyonun karşısına geçti. Düğmelerini kurcalamaya başladı. Herkes soluğunu tutmuş onu izliyor, birazdan işitilecek radyo sesini merakla bekliyordu. Uzun süre uğraştı. Fakat radyoyu bir türlü açamıyordu. Bir düğmesini çeviriyor, başka bir düğmesine basıyor, dalga tuşlarını deniyor ama bir türlü sonuç alamıyordu. Satıcı ona söylemişti nasıl açılacağını, nasıl ayarlanacağını, fakat yoğun bir gün yaşadığı için unutmuştu. Haksız da değildi elbette. Kente haftada bir gidiyordu ve köydeki tek bakkaldı o zamanlar. Her müşterisinin ayrı bir ricası, ayrı bir siparişi vardı. Onlara koşturmaktan radyoyu unutması doğaldı.

Kardeşleri ve o giderek daha çok sabırsızlanıyor, onların sabırlarının taştığını gören babası daha da telaşlanıyordu. Bir süre daha uğraştıktan sonra vazgeçti. "Bunu yarın hallederiz," dedi. İtirazlara aldırış etmeksizin radyoyu aldı ve duvardaki rafın üzerine, çok önceden hazırlanan makamına oturttu. "N'olur baba"ların bini bir paraydı. Oysa babası her zamanki gibi kararlıydı, ertelemişti ve onu bundan vazgeçirmek çok zordu. "Herkes yatağına!" dedi, "Geç oldu, yarın sabah hallederiz."

Dünya yaşanası bir yer değildir. Adına yaşam denen bir işkencedir sürdürdüğü. Geriye dönüp baktığı zaman bir anlam bulamamaktadır. Hiç doyurucu olmamış, tam tersine yıpratıcı ve yıkıcı olmuştur yaşadığı her gün.

İki odalı evlerinde kardeşleriyle birlikte radyonun bulunduğu odada yatıyordu. En çok o ısrar etmiş, babasını kararından döndürmeye, radyoyu açmaya çalışması için onu ikna etmeye en çok o uğraşmış, diller dökmüş, yalvarmıştı. Ama işe yaramamıştı. Sabretmekten başka yapabileceği bir şey olmadığına karar vermişti sonunda.

Günlerini bir kürek mahkumu olarak geçirmiştir sanki. Durmadan, dinlenmeden küreklere asılarak. 'Yaşamanın ne anlamı var ki,' diye iç geçirmektedir. Her şeye, herkese sövmek gelir içinden. "Bu da olur mu be!" diye haykırmak, "Canın cehenneme!" diye bağırmak istemektedir.

Ay ışığı pencereden içeri vuruyor, radyonun kocaman birer göze benzeyen düğmelerini daha da belirginleştiriyordu. Radyo ona bakıyordu, o da radyoya. Hiçbir şey yapmadan orada öylece uyumaya çalışmak çok anlamsız geliyordu. Yarın, hiçbir zaman gelmeyecek bir gündü sanki. Kendini uyumaya zorlamıyordu bile. Gözü radyodaydı. Dışarıdan gelen ağustos böceği seslerini radyodan geliyormuş gibi hayal ediyor, kendi çapında eğleniyordu. Arada bir gözleri dalıyor, uyuyacak gibi oluyor fakat hemen sonra kendini zorlayarak da olsa gözlerini açıyor ve radyoya bakıyordu hayranlıkla. Acaba içindeki insanlar minik insanlar mıydı? O sesleri çıkaran, şarkıları söyleyenler, parmak boyunda insanlar olmalıydı. Başka türlü sığamazlardı ki radyonun içine. Seslerini duyabilseydi ne iyi olurdu.

Onu böyle anlardaki haline getiren her seferinde farklı bir olay vardır mutlaka. Yaşadığı üzücü bir gün. Ya da hayata ağız dolusu küfürler ettiren bir hayal kırıklığı. Vefasızlık. Ve en çok da ekonomik sorunlar. İstediği bir şeye gücünün yetmeyişi. Çocuklarına söz verdiği bir şeyi alamayışı. Eşiyle yaptığı kavgalar, tartışmalar. Yaptığı yanlışları görmesi. Davranışlarından dolayı pişmanlık duyması...

Arada bir kalkıyor, radyoyu daha yakından görebilmek için ayakuçlarına kadar yükseliyor, uzun uzun inceliyordu onu. Çoktan uyumuş olan kardeşlerinin baş altından yavaşça çektiği yastıkları üst üste koyuyor ve duvara tutunarak radyoyu büyük bir dikkatle seyrediyordu.

Böyle anlarda soran bakışlarla çevresini süzer kimi zaman. Sanki söylemek istediği ancak bir türlü bulamadığı sözcükleri arar. Ya da bir şekilde canı yanmıştır da, "Bunu bana kim yaptı?" diyerek çevresine bakınır.

Bir süre kimseyle konuşmaz. Kendini ıssız bir dağın tepesinde oturmuş, dizlerini karnına yapıştırmış, kollarını dizlerinin çevresini kuşatacak şekilde birbirine kenetlemiş, çenesi dizlerinin üzerinde karlı dağ zirvelerini seyrederken bulur birdenbire. Böyle anlarda ne yaşam, ne geçmiş ne gelecek, ne o günün sorunları, ne de yarının umutları beyninin hiç bir hücresini işgal etmez.

Radyoya bir kaç kez daha yakından baktıktan sonra kararını verdi. Sesini işitmeden uyumayacaktı. Annesinin, babasının diğer odadan gelen konuşma sesleri kesilince yavaşça yerinden kalktı. Yastıkların üzerine çıktı tekrar. Tüm düğmelerle oynamaya başladı. Sırayla her birini deniyordu. Gürültü yapmaktan ve birini uyandırmaktan korkuyor, son derece yavaş hareket ediyordu. Yastıkların üzerinde dengesini bulmaya çalışırken göğsü duvara yaslanıyordu, kalbinin küt küt attığını daha net hissedebiliyordu bu durumdayken.

Epeyce uğraştıktan, birçok düğme kombinasyonunu denedikten sonra olanlar oldu. Sol düğme grubunda önde bulunan uzun düğmeyi kendine doğru çekince aniden yüksek tonda bir müzik başladı. Telaşla yere düşmüş, yerinden kalkıp ağzı açık bir şekilde radyoya bakakalmış, tüyleri diken diken olmuştu. Başarmıştı! Radyoyu açmıştı! Gözleri fal taşı gibi açık, sanki içindeki insanları görmek istermiş gibi tüm dikkatiyle radyoya bakıyor, gelen sesi dinlemiyor, adeta kana kana içiyordu.

Sonsuzluğu, yaşamın hiç duraksamayan bir şekilde değişmesini, tarihi, insanın evrimini ve buna benzer şeyleri düşünür. Kendi yaşamı, insan yaşamı önemsizleşir. Dikkate alması gerekmeyen bir konudur hayat. Sonra bir dinginlik dalgasına kaptırır tüm benliğini.

Evdeki herkes sevinç çığlıkları atarak bir anda çevresini sarmıştı. Aslında işin yarıda bırakılmış olmasından hiç kimse hoşlanmamıştı görünüşe bakılırsa. Evin kahramanı oluvermişti birden. Saçını okşayanlar, sırtını sıvazlayanlar. Babası bile aferin demişti, sözünü dinlemeyip radyoyla uğraşmasını umursamamıştı bile. Uyumadan önce bir süre daha radyo dinlemişlerdi. O gün kendini çok mutlu hissetmişti.

Onu mutlu eden başarı duygusuydu elbette, anlamlı bir şey yapmış olmanın mutluluğuydu. Başarının ne olduğu ve ne olmadığı konularında her insan kendine özgü bir belirleme yapardı kuşkusuz. O ise başarının tarifini radyoya ilişkin anısının ışığında yapmıştı bugüne kadar. Kendince anlamlı olan, kendi iradesiyle gözüne kestirdiği çıtayı aşmaktı başarı. Anlamlı olan şey çıtanın ne olduğu ve ne kadar yüksekte olduğu değildi. Çıtanın ne olduğuna ve ne kadar yüksekte olması gerektiğine kendisinin karar vermesiydi. Başka birinin ya da toplumun değil. Kendi tatlı canı nasıl istiyorsa öyle olmasıydı. Anlamlı olan sadece buydu.

Radyo belki de bu yüzden çok önemli bir itici güç olagelmişti yaşamında. Kendini kötü hissettiği anlarda imdadına yetişen, yardımına koşan itici güç.

Radyo o dinginlik ve sessizlik içinde parlayan bir meşale gibidir onun için. Önünü aydınlatan, onu hep umutlandıran bir güçlü ışık kaynağıdır.

SEKİZ YAŞINDAKİ DEV

Kaç yaşında olduğunu sorarken bunun aslında son derece anlamsız, boş ve gereksiz bir soru olduğunu biliyordu adam. Kuru gevezelikten başka bir şey değildi. Laf olsun diye sorulmuş olduğu her sözcükten belliydi. Çünkü yaş tahmini konusunda en beceriksiz olan biri bile çocuğun yedi ya da sekiz yaşında olduğunu rahatlıkla söyleyebilirdi.

Sanki çocuk da bunun farkındaymış gibi soruyu duymazlıktan geldi, başını bile kaldırmadı. İnce kolları, esmer elleri, derme çatma boya sandığının üzerindeki ayakkabıyı sırayla fırçalarken adam da sorusuna cevap bekleyen gözlerle ona bakıyordu. Aslında çocuğun soruyu işitip anladığından emindi, ama üstelemedi.

Önemli bir iş gören insanlardaki özen; düzenli, ölçülü ve kendine güvenen tavır ona bambaşka bir hava veriyordu. Burnunu çekerken bile yüzündeki bu anlatım değişmiyordu. Alnını biraz da kendini zorlayarak kırıştırıyor, arada bir, tek eliyle fırçalamayı sürdürürken diğer eliyle de pantolonunu çekiştirerek ayağını geri çekiyordu. Hani oturarak çalıştıkları için ayakkabı boyacıları ara sıra yaparlar. Çocuğun bu hareketini yeniyetmelerin kendilerini kanıtlama çabalarına benzetti nedense. Çocuk da büyüdüğünü göstermeye çabalıyor gibiydi, gerçek bir ayakkabı boyacısı gibi davranarak.

Adam öne arkaya gidip gelen fırçayı bir süre izledi. Fırçanın her hareketini büyük bir dikkatle takip ediyor, hiç bir ayrıntıyı kaçırmamaya çalışıyordu. Çok önce okuduğu bir öykü gelmişti aklına nedense. Kendi ülkesinden uzakta ilk kez Türkçe konuşan biriyle, bir ayakkabı tamircisiyle karşılaşan, "Çiviler ağzına batmaz mı senin?" diye konuşmaya başlayan çocuğu anlatan öyküydü bu. Kendini o öyküdeki çocuğun yerine koydu bir an. Ayakkabı boyacısını da tamircinin yerine.

Çocuk onu önemsemiyordu bile, onu yok sayıyordu sanki, görmüyordu. Davranışlarında bir olgunluk, bilmişlik, bir başkaldırı vardı. Boyacılığı epeyce bir süredir yaptığı her halinden belliydi. Adam bir an soruyu yeniden sormayı düşündü, fakat hemen vazgeçti. Yine de bir cevap alamamış olmak onu rahatsız ediyordu. Çocuk ise işini mümkün olan en kısa zamanda bitirmek istermişçesine hızlı çalışıyordu. Uzunca bir sessizlik oldu. Adam ondan çekindiğini hissetti birden. Garip bir duyguydu bu, ama gerçekti, ondan çekiniyordu. Çocuğun kendine duyduğu güven yüzüne yansıyor ona farklı bir görkem veriyordu. Bu görkem ürkütüyordu adamı.

Sonunda dayanamayıp, "Hı?" diye soracak oldu. Aynı anda çocuğun "Sekiz!" dediğini işitti. Sanki ikisi aynı anda konuşmaya karar vermiş ve konuşmuşlardı. Çocuğun canı konuşmak istemiyordu, belliydi. "Sekiz!" deyişinin içinde, "Üstüme varma amca, gevezelik etmek istemiyorum, bırak da işimi yapayım" cümlesini sezinlemişti adam.

Fırçalar dirseklerine ulaşıyordu, yüzü ve elleri boya içindeydi. Adam o sesin ondan çıktığından kuşkulanmış gibi, "Sekiz mi?" diye sordu ister istemez. Kibirli bir tavırla "Hı hı," diye yanıtladı adamı çocuk, bu arada başını da salladı. Birkaç saniye sonra tek ve çok kısa bir an adamın gözlerine baktı. O kadar kısa sürede gözlerinin yerini nasıl bulduğuna ve o bir anlık sürede o kadar çok şeyi nasıl anlatıverdiğine şaşırmıştı adam. Kafasının içindeki tüm sorular bir çırpıda yanıtlanıvermişti sanki. Ona başka şey sormasına gerek yoktu artık.

Küçük ayaklarına, alnına dökülen saçlarına, ayakkabı boyasına iyice bulanmış siyah tebeşir parçalarına benzeyen hızlı parmaklarına bakıyor, ömründe hiç görmemiş ve bir daha da görmeyecekmiş gibi her hareketini dikkatle izliyordu. Boyanın bitmesini istemiyordu. Bu soğuk kentte onu bu denli oyalayan pek az şey olmuştu bugüne dek.

Ayağının altına inen fırça darbeleriyle kendine geldi. Bir süre anlamaz anlamaz baktı çocuğa. Çocuk fırçayı öyle ustalıkla kullanıyordu ki, yukarı kalktığında ayakkabısının altına, aşağı indiğinde boya sandığına çarpıyor, taş sokaklardan geçen faytonların sesine benzer bir ses çıkarıyordu. Bu hareket ayakkabı boyacılığında, "Bu ayakkabıyla işim şimdilik bitti, diğerini alayım lütfen," anlamına geliyordu. Adamın dalgınlığıyla alay eder gibi dik dik bakıyordu yüzüne. Gözlerinin içinde bir yerlerde ince bir gülümseme vardı, sanki adamın saflığından garip bir tat alıyormuş gibiydi. "Uyan amca! Ayağını değiştirsen de işimizi yapsak diyorum," der gibiydi çocuk.

Sandığın üzerine öbür ayağını koydu adam.

İşini bitirdiğinde kaba bir ağaçtan yontularak yapılmış ayakkabı koyma yerinde duran ayakkabının altına parmağıyla şöyle bir dokundu. Boyacılık dilinde bu hareketin anlamı ise "Seninle ve ayakkabılarınla işim bitti, kaldırabilirsin," demekti. Biliyordu adam. O da boyacılık yapmıştı çocuğun yaşlarındayken.

Adam ayağını indirirken o eşyalarını toplamaya başlamıştı bile. Boyayı cam şişeden çıkarmak için kullandığı düzleştirilmiş çay kaşığını, kapkara süngerini, ellerine göre kocaman fırçalarını hızlı hareketlerle yerlerine koydu. Eşyalarını sandıktaki yerlerine yerleştirdikten sonra birden yavaşladı, son derece rahat ve vurdumduymaz görünüyordu şimdi. Az önceki çabukluğu yok olup gitmişti. O haliyle onu, avını jet hızıyla yakalayıp yutuveren, sonra da yavaş yavaş süzülerek yüzmeye devam eden bir balığa benzetti adam. Çocuk uzağa, ufuk çizgisine bakıyordu. Gözleri hafif kısık, yüzü sert ve kendine güvenliydi. Sorumluluklarının farkında olan, hatta fazlasıyla farkında olan bir insan hali vardı üzerinde. Adam ondan çekindiğini hissetti yeniden.

Ona para uzatırken boya ücretinden daha fazlasını vermeyi düşünüyordu. Çocuğun paraya ihtiyacı olduğu kesindi, bu apaçık belliydi her halinden. "Üstü kalsın," diyecekti ama bir türlü söyleyemedi adam. Sözcükler boğazında düğümlendi kaldı. Onu incitebileceğini düşündü nedense. Aslında ondan çekindiği için söyleyemedi demek daha doğru olurdu. Sekiz yaşındaki olgunluğu onu ürkütüyordu. Sanki bir çocuk değil, ufacık ceketin ve pantolonun içine zorla sıkıştırılmış bir büyük insan gibiydi.

Çocuk uzatılan paraya uzunca bir süre baktı almadan önce. Sonra ceketinin iç cebinden dikkatle kendi paralarını çıkardı. Önce paranın üstünü uzattı, sonra adamın verdiğini aldı, güzelce katlayıp iç cebine yerleştirdi. Belki de büyüklerin ona bahşiş vermelerini onu küçük görmelerine bağlıyor ve bunu engellemek için böyle davranıyordu. Paranın üzerini önceden hazırlamak ve uzatmak, daha sonra verileni almak onu zoraki kabullenmelerden koruyor olabilirdi. Bir an için bu davranışına anlam verememiş, bilinçli olarak yapıp yapmadığını kestirememişti adam.

Boyacı çocukla sık sık karşılaştı daha sonra anıları arasında. Özellikle yeterince büyümediğini düşündüğü yetişkinleri tanıdıkça aklına geldi çocuk. Mağrur ve kendine güvenli hali birçok yetişkin insandan daha sağlam bir kişilik örneği oluşturabilirdi. Sekiz yaşında bir devdi çocuk. Onu hep kıvılcım gözlerle, kendisine baktığı andaki yüz ifadesiyle ve küçük fakat kararlı adımlarla yürürken gördüğü haliyle hatırladı.

Çocuk alışkın ve umursamaz bir hareketle boya sandığını kaldırıp omuzuna astı. Kendini çok yalnız hissetti adam. Boyanın bitmesi canını sıkmıştı. Onun gitmesini istemiyordu. Onun yaşlarındayken anne ve babasının birkaç günlüğüne yakınlarını ziyarete gittiği zamanları hatırladı. Onu kardeşleriyle birlikte bırakır, götürmezlerdi, "Okulun var, sen kal," diyerek. Ağlamaları sızlamaları para etmezdi. O sırada hissettikleriyle şimdiki duyguları farklı değildi sanki. Çocuğun arkasından ağlamıyordu belki ama benzer şeyler hissediyordu.

Görünmez oluncaya değin baktı arkasından. Omuzuna astığı boya sandığı dizlerine kadar geliyor, küçük adımlarla yürürken zaman zaman incecik bacaklarına çarpıyordu. Bir sigara yaktı adam. Akşamın serinliğini iyice duymaya başlamıştı.

HARİKA ÖNYARGI

Ceren'ime

Yarım saati aşkın yolculuk boyunca hiç konuşmamıştı. Aslında hiç susmayan bir çocuk olduğu söylenebilirdi. Her zaman bıcır bıcır bir şeyler söyleyen, sorular soran dünya tatlısı bir kız olmuştu o. Yanında onunla konuşan kimse olmasa bile kendi kendine şarkılar söyler ya da bir şeyler mırıldanırdı. Ama şimdi suskundu haklı olarak.

Bir gün önce evde oynarken koltuğun üzerinden ters takla atarak yere düşmüş, kolunu incitmişti. Ertesi sabah dirseğinin şiştiğini gören annesi ve babası onu hemen hastaneye götürmüşlerdi, itirazlarına, "Gitmek istemiyorum"larına aldırış etmeksizin. Neyse ki, kırık ya da çatlak yoktu. İlgilenen doktor bir süre alçıda kalmasının yararlı olacağına karar vermiş, annesinin sakinleştirme çabaları eşliğinde minicik omuzundan bileğine kadar alçı uygulamıştı koluna. Bütün bunlar olurken ondan beklenmeyecek ölçüde sakin ve sessizdi. Oysa henüz yedi yaşındaydı, ilkokula yeni başlamıştı. Yaşından beklenmeyecek ölçüde olgun davranmış, hiç ağlamamış, sadece zaman zaman ağlamaklı bir ifade takınmıştı korktuğunu belli ederek, o kadar. Böyle durumlarda hep yaptığı gibi dudak köşeleri aşağı düşmüştü. Hafiften büzülmüştü dudakları bir de.

Hastaneden çıkarken kolundaki alçıya bakıp bakıp yüzünü buruşturdu. Bakışlarıyla 'Bu da nereden çıktı şimdi?' diye söyleniyordu sanki. Bir süre sonra kısık ve yorgun bir sesle "Şimdi herkes bana bakacak" dedi, sözcükleri uzata uzata. Bir yandan konuşuyor bir yandan da paltosunu çekiştirerek alçılı kolunun üzerini kapatmaya çalışıyordu. Bu arada dudak köşeleri aşağıdaydı yine. Alçının görülmesini istemiyordu anlaşılan, alışması zaman alacaktı.

Annesi ve babası ağlamadığı için çok cesur bir kız olduğunu söylüyor, yapılanların son derece normal olduğuna onu ikna etmeye çabalıyorlardı. İnsanın kolunun alçıda olmasının utanılacak bir durum olmadığını, herkesin başına gelebileceğini anlatarak onu rahatlatmaya çalışıyorlardı. Eğer isterse okula birkaç gün gitmeyebileceğini de sık sık vurguluyorlardı. Oysa o, okula gitmek istediğini söylüyordu ısrarla. Evde dinlenmesinin daha iyi olacağını söyleyen annesini, babasını dinlemiyor, hatta onlara aldırış bile etmiyor, duymazlıktan geliyordu.

Annesini okul yolu üzerindeki işyerine bırakırlarken orada değilmiş gibi davrandı. Onu büyük bir sevgiyle kucaklayıp öpen, bir yandan da yaşarmış gözlerini silen annesine çok kızgın olduğu her halinden belliydi. Kolunun alçıya alınmasına karar verildiğinde ona arka çıkmamış, doktorun önerisini hemen kabul etmişti. Daha sonra kızgınlığını şöyle açıklamıştı ağlayarak: "Sen nasıl bir annesin!? İnsan çocuğunu korumaz mı?"

Okula doğru giderken sarsıntı yüzünden rahatsız olabilir diye düşünerek otomobili yavaş ve dikkatle kullanan babasına bakmıyordu bile. Alt dudağı hafif kıvrık bir şekilde öfkeli bakışlarla dışarıyı seyrediyordu. Sessizdi, konuşmuyordu. Babası birkaç kez ağrısının olup olmadığını sordu. İyi olduğunu, kolunun ağrımadığını söyledi, kısacık cevaplar vererek. Yüzünde tedirgin ve küskün bir ifade vardı.

O sustukça babası konuşuyordu. Türlü şaklabanlıklar yapıyor ve onu güldürmeye çabalıyordu, ne de olsa önemli bir olay geçmişti başından ve bunu olağan karşılayabilmesi zordu elbette. Yardımcı olmalıydı ona. Oysa o neşesizdi, haklıydı tabii. Başka zaman olsa katıla katıla güleceği esprileri tınmıyordu bile. Şakaları esprileri anlamazdan geliyor, çok çok hafiften gülümsemekle yetiniyordu. "Ben şimdi ne yapacağım, senin sadece bir kolunu sevip okşayabileceğim, oysa önceden iki tane kol sevebiliyordum," diyerek ağlama taklidi yapan babasını kısacık ve mini minnacık bir gülümsemeyle ödüllendirdi, sonra hemen dışarıyı seyretmeye devam etti. Sürekli olarak paltosunu düzeltiyor, alçılı kolunu paltosuyla kapatıyordu. Babası kızının bu hareketini gördüğünde üzülüyordu. Çünkü paltoyla kapatması bir işe yaramayacaktı ve sınıf arkadaşları onun alçılı kolunu er ya da geç fark edeceklerdi. Bu da kızının kendini kötü hissetmesine yol açacaktı. Fakat ona bunu anlatmak da istemiyordu. 'Varsın o zamana kadar kolunu gizlesin,' diye geçirdi içinden. Onu güldürmeye çalışması daha anlamlıydı. Çünkü bu şekilde moralini düzelteceğini ve okuldaki zamanını daha az zararla geçirmesini sağlayacağını düşünüyordu. Her sözcükten bir espri türetmeye çalışması, gelip geçen diğer araçların her biri için komik bir şey bulup söylemeye uğraşması bundandı.

Baba ile kızın şaka ve espri anlayışı sonraki yıllarda çok farklı boyutlar kazandı. Babasının yaptığı esprilerin çok sıradan olduğunu, komiklik içermediğini, gülmeye değer olmadığını söyler sık sık. Bu onda zaman içinde bir alışkanlık haline gelmiştir. Onun bu alışkanlığını bildiği için babası da her fırsatta bilinçli olarak zorlama ve onun deyimiyle "bayat" espriler yapar, hemen ardından da gülmesini bekleyen özel bir yüz ifadesi takınarak kızına bakar, kasıtlı olarak elbette. O ise hiç bir anlam verememiş bir tavırla babasını süzer her seferinde. 'Sen ne diyorsun yaa?!' dercesine. Bir yandan da burun kanatlarından birini hafif, belli belirsiz yukarı kaldırır. Hani anlatılan bir fıkra hiç komik gelmez de yaparız. Sonunda babası dayanamayıp kendi yaptığı "espri"ye değil ama onun verdiği bu tepkiye gülmeye başlar kahkahalarla. Derken dayanamaz o da katılır gülme şenliğine. Baba kız birlikte çok eğlenirler.

Seyrek de olsa beğendiği espriler de olur. Kahkahaları patlatır böyle durumlarda. Bir keresinde babası iş seyahati için gittiği uzak bir yerden ona telefon etmiş ve, "Yavrucum bir sorunum var," demişti. "İşin içinden çıkamadım ve sana danışayım dedim. Burada bir otopark var, tabelasında 'kapalı otopark' yazıyor. Hemen altında ise '24 saat açık' diyor. Ne demek istiyor bir türlü anlayamadım? Madem kapalı, neden 24 saat açık, eğer açıksa niye kapalı otopark diyorlar?" Telefonun ucunda bir süre kendini tutmayı başardıysa da, gülmekle sinirlenmek arasında bocalayan sesi onu ele vermişti. Kahkahalarla gülmüşlerdi ikisi de.

Neden "bayat" espri yaptığını ona şöyle açıklamıştı babası: "Senin gülmemen için 'bayat' espri yapıyorum. Böylece kimse ortak olmuyor ve tüm hoşluğu bana kalıyor. Doya doya gülüyorum o zaman, esprinin tamamından sadece ben yararlanmış oluyorum." O günden sonra babasını arkadaşlarına: "Bak, bu benim babam. Çok espritüel biridir fakat bencil olduğundan kendi yapar, kendi güler..." diye tanıtır.

"Tatlım istersen ısrar etme de seni eve götüreyim, okula gitmen şart değil, bak kolun alçıda. Böyle durumlarda okula gitmemek normaldir," diye ısrar edecek oldu adam.

"Hayır baba. Eve gitmek istemiyorum, okula gideceğim," dedi, incecik fakat kararlı bir sesle. 'Evde sıkılmaktansa arkadaşlarıyla birlikte olmayı yeğliyor herhalde,' diye düşündü babası. Üstelemedi. Anlaşılan alçılı kolunun görülmesi pahasına da olsa evde yalnız başına zaman geçirmek istemiyordu. Yine de çok anlamlı gelmedi kızının okula gitmekte ısrar etmesi.

Okula ulaştıklarında biraz daha iyi görünüyordu, gülümsemiyordu ama yüzü de asık sayılmazdı. Merdivenleri yavaş yavaş ve dikkatle çıktılar, kolunu bir yere çarpmaması gerekiyordu. Bu gibi konularda her zaman çok titiz olmuştur. Sınıfının bulunduğu koridorda yürürken adımları belirgin şekilde sıklaşmıştı. Babası kapılardaki küçük levhalara bakarak onun sınıfının hangisi olduğunu bulmaya çalışırken, çoktan iki üç adım öne geçmiş, doğru kapıya yönelmişti bile.

İki ders arasına denk gelmişlerdi. İçerde öğretmen yoktu, derse giriş zili henüz çalmamıştı. Kış günü olduğundan çocuklar dışarıya, okul bahçesine çıkamamış, dersin başlamasını sınıfta bekliyordu. Hepsi bir araya toplanarak büyük bir grup oluşturmuş, kendi aralarında bir oyun oynuyorlardı. Oyunun bir bölümünde tam bir sessizlik egemen oluyor, bir süre sonra hepsi bir ağızdan yüksek sesle konuşuyor, bağrışıyordu. Bu arada itişmeler, kakışmalar... Onlara bakmadan, sadece işittiklerinizle bile neler olup bittiğini anlayabiliyordunuz.

Hemen içeri dalmaya kalktı. Babası onu kolundan tutarak durdurdu, kucaklayıp öperek vedalaştı. Paltosunu almak istedi fakat o vermek istemedi. Adam sesini çıkarmadı fakat içi burkuldu, 'Kolundaki alçıyı paltosuyla gizlemekte kararlı,' diye düşündü. O akşam kızıyla yeniden konuşmaya karar verdi. Bir insanın kolunun alçıya alınmasında rahatsız olunacak herhangi bir şeyin bulunmadığını uzun uzun anlatacaktı ona. Kolu, bacağı alçılı insanlar gösterecekti, denk gelirse.

Üzülmüştü. Biricik yavrusu kendini kötü hissedecekti bütün gün. Dalgın dalgın koridorun sonundaki kat merdivenlerine doğru yürümeye başladı. Ayakları geri geri gidiyordu. Uzaktan çocukların seslerini ayırt edebiliyordu, anlaşılan oyuna devam ediyorlardı.

Birkaç merdiven indikten sonra durdu. İçi rahat etmiyordu. Kızını orada öylece bırakamazdı. Kim bilir, şimdi gitmiş en arka sırada yapayalnız oturuyordur belki. Canı sıkkın olduğu zamanlar yaptığı gibi dudak köşeleri hafiften aşağı düşmüştür. Adamın hiç katlanamadığı bir görüntüydü bu. Ani bir kararla geri döndü.

Belki öğretmeni ona yüksek sesle geçmiş olsun diyecek, bütün arkadaşları ona doğru bakacak ve kolunun alçıya alındığını anlayacaklardı. Belki de ağlayacaktı bu durum karşısında. Bunları düşünmek adımlarını hızlandırmasına yetiyordu adamın. Çocuğunun bütün günü tatsız geçirecek olduğunu düşünmek zapt edemediği bir telaş ve bir şeyler yapma isteği doğuruyordu içinde.

Onunla konuşmalı, onu ikna etmeli ve kolundaki alçı ile barıştırmalıydı. Evet evet, bu kesinlikle çok önemliydi, ihmal etmemeliydi. Alçının üzerine arkadaşlarına imza attırmasını, isimlerini yazdırmasını söylemeli, hatta oradayken ilk imzayı kendisi atmalı ve birkaç arkadaşına bunu kendisi yaptırmalıydı. Kolundan çıkarıldığında güzel bir anı olarak saklayabilirdi o zaman.

Hiçbir durum onun geri planda kalmayı seçmesine meydan vermemeliydi. Onun yavrusu pısırık olmamalı, kendini gizlemeye çalışmamalı, her zaman girişken, konuşkan, atak olmalıydı. Çünkü ancak böyle olursa yaşadığı olayları etkilediğini hissedebilir, yaşadıklarından dolayı mutluluk duyma olasılığı artabilirdi. Hızlı adımlarla sınıfa yaklaşırken ona neler söyleyeceğini tasarlamaya çalışıyordu adam.

Sınıf kapısından içeri girerken gördüğü manzarada olağandışı herhangi bir durum fark etmedi. Çocuklar yine büyük bir grup halinde toplanmıştı ve tam bir sessizlik vardı. Oynadıkları oyuna devam ettiklerini düşündü adam. Sonra onu aradı arka sıralara doğru bakınarak. Göremedi. Çocukların oluşturduğu kocaman bir öbek dışında sınıfta kimse yoktu. Onu çocuk grubunun içinde aramak aklına bile gelmemişti. Alçılı koluna ilişkin duygularını -daha doğrusu bu konudaki kendi yargılarını- çok fazla abartmış olmalıydı. Onu bir köşeye çekilmiş, kimseye görünmemeye, daha doğrusu dikkat çekmemeye çabalayarak oturuyor bulacağına koşullanmıştı adeta. Kolunun alçılı olmasını herkesten gizlemek isteyeceğine o kadar emindi ki.

'Herhalde tuvalete gitmiş,' dedi içinden ve kendini daha da kötü hissetti o anda, bunu daha önce düşünemediği için. Öğretmeninden ya da bir arkadaşından yardım istemiş olmasını umabilirdi ancak, yapabileceği başka bir şey yoktu.

Kızını sınıfta görememek hemen kuruntulara kapılmasına neden olmuştu her zamanki gibi. Aklına neler gelmedi ki; okuldan kaçtığı, bir yere saklandığı... Neyse ki çok geçmeden içeriden, kalabalık çocuk grubunun arasından tanıdık bir ses çalındı kulağına. Önce bir şey anlamadı, fakat kulak kabartınca kendini bir anda çocukların arasına karışmış buluverdi.

Bu ses onun biricik kızına aitti. Grubun en orta yerindeydi ve oturmuştu. Öteki çocuklar çevresini sarmış, onu ayakta dinliyorlardı.

Nasıl da hararetle anlatıyordu başından geçenleri. Tüm çocuklar dikkat kesilmiş onun her hareketini gözlerini kırpmadan izliyor, hiç bir sözcüğü kaçırmamaya çalışıyorlardı. Sağlam kolunu kullanarak muayenenin nasıl yapıldığını, röntgen masasına nasıl yatırıldığını ballandıra ballandıra açıklıyordu: Canı yanmıştı ama hiç ağlamamıştı... Ne olacaktı ki? Dirseği birazcık incinmişti işte, hepsi o kadardı... Hatta annesi ve babası çok ısrar etmişlerdi, 'Kızım sen okula gitme, iyileşinceye kadar evde kal,' diye ama o böyle ufak tefek şeyler için okulu asmak istememişti. Ne olacaktı canım. İnsan bu kadarcık bir şeyden dolayı derslerini ihmal etmezdi ki.

Adamın o anda duyduğu rahatlamayı ve mutluluğu tarif etmesi, anlatması olanaksızdı. Büyük bir sıkıntıdan kurtulmuştu.

Onu bütün dikkatiyle dinlemeye başladı, söylediği her sözcüğün tadına vara vara. Çocuklardan birkaç tanesi aralarında bir büyük olduğunu fark etmiş, 'Bu amca neden burada ki?' diye soran gözlerle adamı süzüyordu. Kızının sözünü bitirmesini bekleyecekti. Daha doğrusu o anda dünya dursun ve sadece onun çocuğu konuşsun istiyordu. Sonuna kadar dinleyebilir, birçok şeyi erteleyebilirdi bunun için. Fakat babasının varlığını fark ettiği için utangaç utangaç gülümseyip başını önüne eğerek susuverdi minik kız.

Geri dönmemiş olsaydı o günü ve belki de daha sonraki günleri kötü geçecekti. Çocuğunun o gün yaşadıklarını hiç bir zaman öğrenemeyebilir ve gözünde canlandırdığı tabloyla yetinmek zorunda kalabilirdi. Fakat onu asıl mutlu eden, kızının geri planda durmamış olmasıydı. Öne atılması, paylaşması, topluluk içinde konuşabilmesiydi. İçine kapanık olmamasıydı. Hayatı etkileyen bir birey olabilmesi bu şekilde daha kolay olacaktı. Müthiş bir şey başarması şart değildi, hayatı etkilediğini hissetmesi önemli ve yeterliydi. Kendi çocukluğunda, yaşamış olmaktan sevinç duymadığı şeyleri, onun çocuğu yaşamıyordu. En güzeli de buydu adam için.

Çevresindeki çocukları aralayıp sarılıverdi ona adam, öpücüklere boğdu. Bir yandan da sevinçten dolan gözlerini fark etmesine engel olmaya çalışıyordu.

Kızıyla gurur duyduğu sayısız anlar yaşayacaktı adam. Fakat yaşadığı bu olayın, bu sevimli önyargının anıları arasında çok farklı bir yeri olacaktı her zaman.

SADRİ ABİ

Sınıftaki diğer çocuklarla kıyaslandığında Sadri'den en çok çekinen oydu. İlkokula bir yıl erken başladığı ve ikinci sınıfı okumadan geçtiği için sınıfın en küçük yaştaki öğrencisi dolayısıyla da en ufak tefek ve en çelimsiziydi. Bu yüzden Sadri onun için bir devdi. Gölgesinden bile sakınılması, yakınından geçerken aşırı dikkatli olunması gereken bir dev.

Sadri gibi, yaşı ilkokul beşinci sınıf için büyük olan başka çocuklar da vardı sınıfta. Onlar da yetiştirme yurdunun çocuklarıydı. Ama boyu onlardan da uzun olduğu için olsa gerek, Sadri gözüne iyice kocaman görünürdü her zaman.

Zayıf ve çelimsiz biri olmasının, sınıf arkadaşlarından daha küçük yaşta olmasının en belirgin yararı sınıf öğretmeni tarafından kayırılmaktı. Kimi zaman bunu açıkça söylerdi öğretmen. Bu yüzden arkadaşlarının ona diş bilediğinin farkındaydı.

Bu durumundan yani diğerlerinden farklı tutulmaktan hiç hoşlanmadığı zamanlar da yok değildi. Örneğin ders aralarında, okul bahçe duvarının hemen dışında şekerpare satan amcanın, kendisine zayıf ve çelimsiz olması nedeniyle acıdığını düşünüyor ve buna üzülüyordu. Çok az parası olduğu için şekerpare almak istediğinde adam önce reddeder, "O paraya olmaz, git bir o kadar daha para getir, tatlıyı o zaman alırsın," derdi, azarlar gibi. O ise üstelemez, sadece beş on adım uzaklıkta durur, parayı bastırarak şekerpare alıp yiyen çocukları izlerdi imrenerek. Canı çekerdi kuşkusuz, hem de çok çekerdi. Tüm çocuklar şekerpare alıp gittikten ve etrafta öğrenci kalmadıktan sonra, yani ders zilinin çalmasına yakın bir zamanda tatlıcı amca onu tuhaf bir el işaretiyle yanına çağırır, az da olsa ona da tatlı satardı, elindeki parayı almayı ihmal etmeyerek. Adamın bu davranışını çelimsizliği yüzünden kendisine acıyor olmasına yorardı hep ve buna bozulurdu. Haksız da sayılmazdı elbette.

Sonradan tatlıcı amcanın neden diğer öğrencilerin çekilmesini beklediğini anlayacaktı. Fiyatını düşürmek, prestijini sarsarak piyasasını zayıflatmak istemiyordu, bu açıktı. Sattığı şekerparenin de bir bedeli vardı ve üç beş kuruş para için malının fiyakasını zedelemek istemiyordu. Büyüyüp iş güç sahibi olduğu, pazarlamayla ilgili görevler yürüttüğü yıllarda kendisi de buna benzer stratejileri hayata geçirecek, tatlıcı amcayı buğulu gözlerle hatırlayacaktı. Zaman zaman tatlıcı amcayı Sadri ile karşılaştırırdı cüsse olarak ve Sadri'yi ondan bile daha iriyarı bulurdu.

Ona göre Sadri'nin en belirgin özelliği uzun ve geniş adımlarıydı. O, sınıftaki tüm çocukların Abi'siydi. On yedi, on sekiz yaşlarındaydı. Sınıfın geri kalanı ise on bir ya da on iki. Yetiştirme yurdundaki son yılını geçiriyordu. Hayat onun için bu yıldan sonra çok daha zorlaşacaktı, çünkü barınacağı yeri, geçineceği parayı kendisinin bulması, sorunlarını tek başına halletmesi gerekecekti. Yetiştirme yurdu sadece on sekiz yaşına kadar bakıyordu çocuklara. Bu durum canını sıkıyordu elbette, hem de çok fena sıkıyordu. Küçücük haliyle onun yüz ifadesinden duygularını anlayabiliyor, onun adına içten içe üzülüyordu. Sadri Abi'nin sessizliğini her zaman üzgün olmasına yoruyordu.

Sadri'nin nereden geldiğini, ailesinin olup olmadığını, dünyada onu merak eden herhangi birinin bulunup bulunmadığını kimse bilmiyordu. Büyük olasılıkla o da diğer çocuklar gibi çocuk yuvasından gelmişti yetiştirme yurduna. Yaşı diğer çocuklardan çok daha büyük olduğu için kimsenin onun geçmişini bilmiyor olması normaldi.

Sınıfta öğretmenden ayrı bir güç odağıydı, okulun ve yetiştirme yurdunun demirbaşıydı adeta. Herkes, okulun hademesi bile -ki gerçek bir pehlivandı adam- ondan çekinirdi, fakat saygının ağır bastığı bir çekinmeydi bu. Herkes saygın bir insana davranır gibi davranırdı Sadri'ye. Sadri'nin bunu hak ettiği kesindi.

Aslına bakılırsa Sadri hiç de seven bir insan değildi,

oldukça sert biriydi. Bakışlarında en küçük bir yumuşaklık yakalamak olanaksızdı. Fakat yüreğinin derinliklerinde bir yerlerde tüm arkadaşlarına karşı iyi duygular beslediğinden emindi hepsi de. Bu konuda sınıftaki tüm çocukların aynı şekilde düşündüğü rahatlıkla söylenebilirdi. Gerçi Sadri yetiştirme yurdundaki diğer abilerin yaptığı gibi küçüklerin saçını okşamaz, bırakın saçını okşamayı, hemen hemen hiç bir zaman onlara gülümsemezdi bile. Ama o Sadri'ydi ve bu yeterliydi. Nedense okuldaki tüm öğrenciler son sınıftaki bu büyük adamı bilir, onu sayar, ondan çekinirdi. Adı bir markaydı yani.

Çene köşelerinde ve üst dudağında bulunan iyice kararmış kıllar sınıf üzerindeki tartışılmaz otoritesinin bir başka göstergesiydi. Öğretmenlerin ona karşı tutum ve davranışları oldukça farklıydı. Onlar da Sadri'yi bir güç odağı, bir otorite, öğrenciler nazarında özel ve saygın bir kişilik olarak bilir, kabul eder ve ona göre davranırlardı. Örneğin eften püften görevleri asla ona vermezlerdi. Kimin ne yaptığını, kimin hangi yaramazlığı yapabilecek bir yapıda olduğunu ya da olmadığını ona danışarak belirlerdi öğretmenler. Aslında bir öğrenci olarak Sadri bunu hak ederdi. Asla yaramazlık yapmazdı. Ağır başlıydı, sessizdi. Derslerle arası pek yoktu ama o kadarcık kusur kimde olsa bulunurdu, hele yetiştirme yurdu gibi bir yerde.

Sadri yatılıydı, o ise gündüzlü. Gündüzlü "yatılı olmayan" demekti, açıklamak gerekirse. Yetiştirme yurdunun gece barınma dışındaki tüm olanaklarından yararlanan fakat akşam olunca evine giden öğrenciydi. Gündüzlü olmak ona kendini kötü hissettiriyordu aslında. Sanki bir lütuf kabul etmiş gibi hissediyordu gündüzlü olmakla. Kendini yardıma muhtaç biri olarak görmesine yol açıyor ve bundan da rahatsızlık duyuyordu.

Yetiştirme yurdunda yatılı ve gündüzlü öğrenciler arasında kesin bir ayrım vardı. Bu ayrım sadece öğrenciler arasındaydı elbette. Öğretmenlerle ya da okul yönetimiyle ilgili değildi. Yatılı öğrenciler kendi aralarında bir birlik içindeydi her zaman. Birbirlerini kollar, gözetir ve her durumda birbirlerine yardımcı olmaya çalışırlardı. İki yatılı öğrenci kanlı bıçaklı dahi olsa bu değişmezdi. Yatılı olmayan üçüncü bir kişi karşısında daima tek vücut olarak hareket ederlerdi. Belki de içgüdüsel olarak böyle davranırlardı, çünkü yetiştirme yurdu onlar için aile, diğer yatılı öğrenciler de kardeş yerine geçerdi.

Yetiştirme yurdundaki yatılı öğrencilerin bu dayanışması gündüzlüler arasında yoktu, hem de hiç yoktu. Gündüzlüler arasında birbiriyle sıkı arkadaş olanlar, sırdaş olanlar çoktu elbette fakat tüm gündüzlülerin birbiriyle dayanışmasından, bir tehlike karşısında birbirleri için kendilerini ortaya atmalarından söz edilemezdi.

Yatılı öğrencilerin gündüzlüleri pek sevmediklerini söylemek hiç de yanlış olmazdı. Gündüzlüler başları ezilecek yaratıklardı diğerleri için. Sık sık onlara saldırırlar, grup kavgaları yaparlar, bunun için planlar yaparlar ve ellerine geçen her fırsatta gündüzlü öğrencileri öğretmenlere şikayet eder, ispiyon ederlerdi.

Köyden kente taşınmak onu çok etkilemiş, uzun süre yalnızlık çekmiş ve arkadaş edinmekte zorlanmıştı. Okula ve sınıfındaki arkadaşlarına alışması zor olmuş, zaman almıştı. Arkadaşları çocukça bir zalimlik içindeydi ona karşı. Hem sonradan gelmiş olması hem de kendilerine göre daha çelimsiz olması diğer çocuklarda her fırsatta onu hırpalama ve tartaklama isteği uyandırıyordu. Ve bu isteklerini asla dizginleme gereği hissetmiyorlar, onu her fırsatta itip çekiyor, tokatlıyorlardı.

İki üç günde bir burnunu çeke çeke bir köşeye çekilip hırsını yerdeki küçük taş parçalarından alıyor, onları tekmeleye tekmeleye ağlıyordu. Sınıf öğretmenine gitmek ve olanları anlatarak yardım istemek aklının ucundan bile geçmiyordu, çünkü korkuyor, çekiniyordu. Sonuç daha acı olabilir ve öğretmen onu dövenleri cezalandırırsa kendisini daha fena yapabilirlerdi.

Sadri ile ilk konuşması tartaklandığı günlerden birine rastlamıştı. Duvara yaslanmış başı önünde bir yandan iç çeke çeke ağlıyor bir yandan da bildiği bütün küfürleri ve kötü sözleri mırıldanarak peş peşe sıralıyordu.

Sadri'nin gür sesiyle irkildi:

"N'oldu ulan!?" Ses çok sert ve ürkütücüydü. Sadri'nin varlığına ve otoritesine alışması hiç zaman almamış, onu saygın ve güçlü bir odak olarak hemen benimsemişti. Fakat o ana dek Sadri ile doğrudan bir konuşması olmamıştı.

Çok korktu. Öyle ya, ağladığı için ona kızıyor olabilir ve bir tokat da o yapıştırabilirdi. Çekinerek ve güçlükle tokatlandığını anlattı, elini yüzüne kapatıyor, burnunu daha güçlü çekiyordu konuşurken. Sözcükler ağzından zorla çıkıyordu.

Hiç beklemediği bir şekilde, "Kim yaptı sana bunu?" diye sordu Sadri. Çok kızgın olduğu ses tonundan anlaşılıyordu, konuşurken gözleri öfkeyle parlıyordu. Onu döven çocuğun adını söyledi çekinerek, neredeyse fısıltı gibi bir sesle. O kadar korkmuştu ki, dayak yediği çocuğun adını vermemeyi aklına bile getiremedi.

Sadri onu kolundan tuttu, birlikte hızlı adımlarla ilerlemeye başladılar. Kolunu tuttuğu bölüm acıyordu ama o acıya falan aldırmıyordu. Korkudan titriyordu. Olacakları az çok kestirebildiği içindi bu korku. Başı önünde, serbest kalan koluyla gözünü ovuşturuyor, bir yandan da Sadri'nin uzun adımlarına ayak uydurabilmek için var gücüyle koşturuyordu onun peşinden. Arkası yırtık lastik ayakkabısının ayağından çıkmaması için dua ediyor, küçük ayağıyla sıkıca kavramaya çalışıyordu ayakkabıyı. Bir keresinde ayakkabısı ayağından çıkmış, çevredeki haylazlar uzun süre top oynamışlardı ayakkabısıyla, üşüyen ayağını ovuşturmasıyla alay ede ede.

Bir kaç kişiye sorduktan sonra onu hırpalayan çocuğu buldular. Sadri çocuğu bir güzel azarladı ve birkaç okkalı tokat patlattı ona. O anda büyük bir üzüntü duydu çocuk için. Kendisi yüzünden birinin ceza görmesi onu ürkütmüştü. Acıma benzeri, karmakarışık duygular içindeydi. Kendini onun yerine koyduğu zaman korkusu ve üzüntüsü daha da artıyordu. Ağlaması durmuştu, korkudan sesini çıkarmıyordu artık. Orada öylece duruyordu ne yapacağını bilmeden.

Siniri yatışan Sadri, "Bir daha sana ilişen olursa hemen bana geleceksin, tamam mı!?" dedi ona, hızlı adımlarla uzaklaşmadan önce. O evet anlamında başını sallarken Sadri çoktan gözden kaybolmuştu bile.

O günden sonra bir süre rahat etti, kimse onu tartaklamadı. Fakat uykuları kaçıyordu. Kendisine kötü davranan arkadaşlarıyla göz göze gelmekten çekiniyordu. Sanki her davranışları, Sadri yüzünden ona ilişmediklerini, Sadri olmasa okula bile gelip gidemeyeceğini hissettiriyordu. Hem bu sadece onun alınganlığı değildi; birkaç kez arkadaşları bunu açıkça söylemişlerdi kendisine.

Rahatlık uzun sürmedi. Birkaç hafta sonra bir grup yatılıdan dayak yedi yine. Bu kez daha bir hırslıydı onu pataklayanlar. Sadri'nin onu korumasına içerlemişlerdi besbelli. Nasıl olurdu da bir gündüzlü yüzünden bir yatılı başka bir yatılıyı döverdi. Yatılı öğrenci olmanın şanına yakışmıyordu bu ve sebep olan da cezasını çekmeliydi. Yediği dayak bu cezaydı işte.

Kendinden emin adımlarla ağlaya ağlaya Sadri'nin yanına gitti. Olanları anlattı. Sadri onu dövenleri buldu ve bir güzel benzetti, tehdit etti. Birkaç hafta daha ona ilişen olmadı.

Artık ne zaman başı sıkışsa, ne zaman birinden tokat yese Sadri'ye koşuyordu. Sadri onun güvencesi olmuştu. Bu bir süre böyle devam etti. Sadri diğer zamanlarda onunla ilgilenmiyor hatta ondan tarafa bakmıyordu bile. Dayak yediği için onun yanına gittiğinde derhal sorgulama faslına geçiyor, kimin ya da kimlerin yaptığını öğreniyor, sonra o çocuklara hadlerini bildiriyordu.

Bir gün yine burnunu çeke çeke Sadri'nin yanına gitti. Her zamanki gibi hıçkırarak ağlıyordu. Kendisi söze başlamadan Sadri sordu, sesi ürkütücüydü her zaman olduğu gibi:

"Ne oldu ulan!?"

O zorlukla anlatmaya başladı. Daha cümlesini tamamlamadan Sadri yine gürledi:

"Ne lan bu? Ha!? Seninle mi uğraşıp duracağım! Başka işim yok mu benim? İkide bir gelip mız mız ağlayıp duruyorsun. Tövbe tövbe... Benim başka işim yok mu oolum!"

"Ama Sadri Abi..." diyecek oldu. Sadri derhal sözünü kesti onun, bir yandan da omuzundan tutup itekledi sertçe:

"Hastir lan! Kendi işini kendin görmeyi öğren artık. Git başımdan!"

Kaçarcasına uzaklaştı oradan. Neye uğradığını şaşırmıştı. Tüm korunaklarını kaybetmiş, dünya başına yıkılmıştı adeta. Bundan sonra ne yapacak, kime sığınacaktı..?

Sonraki yıllarda istemediği bir durumdan kurtulmak için birine bağımlı olmanın işe yaramadığını hayat ona öğretti. Hem de birçok kez. Bir başkası tarafından korunmanın, kollanmanın sonsuza dek süremeyeceğini öğrendiği birçok deneyim yaşadı. Sadri'nin öfkeli yüzü aklına geldi böyle zamanlarda. Onu omuzundan tuttuğunu, güçlü bir şekilde sarsıp iteklediğini hissetti.

Sızlanmaya başladığını fark ettiği, bir işin halledilmesi, bir sorunun çözümlenmesi için başkalarına sığındığını hissettiği zamanlarda, Sadri'den aldığı dersi tekrar etti içinden. Kendi yağıyla kavrulması, başının çaresine bakması gerektiğini öğrendiği dersi.

Zaman içinde sınıftaki diğer çocuklarla arasındaki buzları eritmeyi, onların arasından birkaç yakın arkadaş edinmeyi başardı. Ona tokat atanlar, onu hırpalayanlar oldu olmasına, fakat giderek azaldı bunlar. Çünkü bir yolunu bulup onların dostluğunu kazanıyordu. Bunun için özel bir çaba sarf ediyordu, başarıyordu da.

MÖNÜMÜZDE YOK

İyice acıkmıştı. Açlıktan karnına ağrılar girecekti neredeyse. Bütün gün oradan oraya koşuşturmuş, yemek yemeye fırsat bulamamıştı. En çok da susamış olması önemliydi onun için. Suyu çok severdi. Yemek yiyecek bir yer aramakla daha fazla zaman kaybetmek istemedi; gördüğü ilk lokantaya girdi. Garsonsuz çalışan, yeni açılmış bir lokantaydı bu ve uluslararası yaygınlığı olan bir zincirin yeni açılan halkalarından biriydi. Önündeki tepsiye yiyecek ve içeceklerini aldı, parasını ödedi. Sıcak yiyeceklerden yayılan buğuyu gözleriyle hissederken bir yandan da sulanan ağzında biriken tükürükleri yutmaya çalışıyordu. Tepsisini alıp masalara doğru ilerlediği sırada su almadığını fark etti ve geri dönüp görevliden bir de su istedi.

Görevlinin verdiği cevabı anlayamadı. Söyleneni işitmediği için tekrar etmesini istediğini sandı. "Su istiyorum," dedi. "Bir su alabilir miyim lütfen."

"Üzgünüm efendim," dedi tezgahın arkasındaki genç kız. "Su yok ne yazık ki."

"Nasıl yani? Su yok ne demek, anlayamadım." diye sakin bir sesle itiraz etti. Su olmadan yemek yiyemeyeceğini söyledi.

Görevli mekanik bir şekilde tekrarladı verdiği cevabı. Önceden öğretilmiş bir söyleyişle, "Mönümüzde su yok efendim," diye de ekledi. Sergilediği nezaketin yapay ve metalik olduğu açıkça ortadaydı, üzerinden akıyordu adeta. Aslına bakılırsa görevli de hoşlanmıyordu bu şekilde konuşuyor olmaktan, fakat yapacak bir şey yoktu. Hayat değişiyordu ve hayatı kazanmak için istenmeden yapılan şeylerin çoğalmasına aldırmamak gerekiyordu.

"Ben mönünüzdeki sudan istemiyorum, bana çeşmeden doldurup verin."

"Olmaz efendim, çeşmedeki sudan veremeyiz. Çeşme suyumuz içilmiyor."

"İçilir, içilir. Bana bir bardak doldurup verin siz."

"Kusura bakmayın ama veremem. Mönü dışına çıkmamız yasak."

"Kardeşim, mönüden bana ne yahu! Sen bana su vermek zorundasın. Bu lokantayı açtığına göre beni susuz bırakmaya hakkın yok."

"Fakat efendim, su satmıyoruz, mönümüzde içecek olarak kola, gazoz, portakal suyu var. Su yok efendim."

"Anladım, fakat gördüğün gibi ben kola aldım ama yine de suya ihtiyacım var. Su olmadan yemek yiyemem ben. Boğazımdan aşağıya bir lokma bile indiremem susuz."

Hem o görevli ile hem de daha sonra onun çağırdığı yöneticisi ile giderek sertleşen bir havada tartıştı. Bir süre sonra lokantanın müdürü de tartışmaya katıldı. Lokanta görevlileri ve yöneticileri hep bir ağızdan, koro halinde, "Mönümüzde su yok," diyor, başka da bir şey söylemiyorlardı. Eğer içecek istiyorsa mönüde bulunan içeceklerden almalıydı. Su yoktu! En çok da mönü deyişleri rahatsız ediyordu onu. Nedense yabancı dillerden hiç de zorunlu değilken ithal edilen kelimelerle yıldızı barışmamıştı bir türlü.

Konuşma işe yarar bir noktaya varamıyor, olan tepsideki yiyeceklere oluyordu, her geçen dakika biraz daha soğuyorlardı. Bu anlamsız tartışmayı daha fazla sürdürmenin sadece kendisine zarar vereceğini fark edince sustu. Buz gibi olunca bunları hiç yiyemem diye düşünerek söylene söylene tepsisini aldı ve boş masalardan birine oturdu. Sakinleşmeye çabalıyor patatesin ucundan, salatanın kıyısından gönülsüz gönülsüz yemeye çalışıyordu. Lokmalar boğazına takılıyor, canı hiç yemek istemiyordu. Oysa karnı çok açtı.

Aklına su geldikçe kolaya sarılıyordu. Susuz yemek yemenin verdiği rahatsızlığı çoktan unutmuş, uğradığı haksızlığa odaklanmıştı. Nasıl olurdu! Kendi ülkesinde onu dilediği gibi yemek yemekten alıkoyuyorlardı. Aslında hepsi de palavraydı. Mönülerinde su yokmuş efendisi! Ulan lokantada hiç mi su olmaz be!? Kuyruklu yalan! Amaçları bir bardak meyve suyunu, bir yudum kolayı astronomik fiyata satabilmek. Su bulundururlarsa kola satışı yarı yarıya düşecek elbette, niye bulundursunlar ki. Karşı karşıya kaldığı durumun bir hakaret olduğunu düşünüyor, öfkesinden kendi kendini yiyordu.

Derken kola bardağının içindeki sıvının tükendiğini fark etti. Pipeti çektikçe takır tukur sesler geliyor ve yarısına kadar buz parçalarıyla dolu bardak içe göçerek yamuluyordu. Bunu bir oyun gibi yapmayı sürdürürken bir yandan da bu durumdan kurtulmak için yapabileceklerini düşünmeye başlamıştı.

Çekip gidebilirdi. O gün yemek yemese ne olurdu ki. Açlıktan kim ölmüş! Fakat bu mümkün değildi. Bulunduğu durumu içine sindirebilmesi olanaksızdı. Aptal yerine konduğunu hissediyordu. Çeşmelerindeki su içilmiyormuş. Palavra! Ben içerim, sana ne! Dağ başı mı ulan burası!?

Tartışmayı yeniden başlatmayı, onlara iğneleyici önerilerde bulunmayı düşündü. Kola alana hediye olarak bir bardak su vermelerini söyleyebilirdi mesela. Ya da su alabilmek için kola alma zorunluluğu getirebilir, kola almayana su vermezlerdi. Suyun fiyatını kola fiyatının üç katı olarak yazabilirlerdi listelerine -pardon mönülerine. Ne gırgır ama. Böylece insanlar su içecekleri varsa da vazgeçer, diğer içeceklerle yetinirlerdi.

Bu tür alaylı ifadelerle tatsız durumu uzatma düşüncesi pek çekici gelmedi. Bunda biraz da onunla tartışanların sabırlı ve ısrarlı kibarlıklarının etkisi vardı. Çok nazik insanlardı ve yeni açtıkları işyerinde müşterileriyle bu tür olayların yaşanmasını istemiyorlardı, belliydi. Sakinleştikçe onlara daha az tepki hissetmeye başladığını fark etti. Hem çalışanların, hem de yöneticilerin zor durumda olduklarını, aslında kendisinin isteğini anladıklarını, hatta hak verdiklerini, fakat uymak zorunda bırakıldıkları bir kuralı da çiğnemeye henüz hazır olmadıklarını düşündü. Bu düşünce onu biraz olsun rahatlattı. Kendi söylediklerini hatırlamaya çalıştı. Acaba çok mu kötü konuşmuştu. Böyle bir olasılığın varlığı bile çok rahatsız ediciydi onun için.

Kafasının içinde bu tür düşüncelerle bir yandan kola bardağındaki buzları takırdatıyor, bir yandan da boş boş çevresine bakınıyordu. Gözü biraz ilerideki bir masaya ilişti. Orta yaşlı bir hanım elinde yiyecek tepsisi ile masaya oturmak üzereydi. Tepsisindeki bardaktan buhar yükseliyordu. Çay ya da kahve olabilir diye düşünürken birden çayı nasıl verdiklerinin farkına vardı. Demleme değil "sarkıtma" çay satıyorlardı. Düşünceli ve gergin bakışlarla buhar yükselen tepsiye bakarken lise yıllarında New York kentinde yaşadıkları geldi aklına.

Çeşitli ülkelerden burslu olarak gelen binlerce başka öğrenciyle birlikte, gidecekleri eyaletlere dağıtım olmadan önce New York'ta üç günlük uyum sağlama kampına girmişti. Türkiye'den de yetmiş kadar öğrenci vardı ondan başka. Fakat kampın amacı uyum sağlamak ve kültürlerarası alışverişi artırmak olduğu için, yatakhanelere diğer ülkelerin gençleri ile karışık yerleştirilmişlerdi. Yabancıların arasında bir başına kalakalmıştı. Tek başınaydı, İngilizce konuşmayı hemen hemen hiç beceremiyordu daha. Kampın ilk gecesinden sonraki sabahtı. Saat

farkının yarattığı sersemlik hissi nedeniyle iyi uyuyama-
mıştı. Karnı da zil çalıyordu. Kahvaltı verilen yemekha-
nelerden birinde sıraya girdi.

Kahvaltı yine tepsiyle veriliyordu buradaki gibi. Yiye-
ceklerini almış, içecek olarak çay istemişti, eliyle işaret
ederek. Görevli, onun şaşkın bakışlarına aldırmadan, bir
kağıt bardak dolusu sıcak su vermiş ve yanında da iç-
lerinde çay ve şeker bulunduğunu sonradan öğrendiği
küçük kağıt paketleri uzatmış, daha doğrusu eline tu-
tuşturmuştu. Olan biten her şeyi ağzı açık bir şekilde
izlediği için kendisine uzatılanları alması gerektiğini fark
edememişti çünkü.

Masaların hemen hepsi doluydu. Sağa sola uzun uzun
bakınmış, yaka kartlarına bakarak İskandinav ülkelerin-
den geldiklerini anlayabildiği beş altı öğrencinin yanın-
da zorlukla boş bir sandalye bulup oturmuştu. Hafif ve
utangaç bir baş selamı verdi onlara, sonra tepsisindekile-
ri incelemeye başladı.

Ona tanıdık gelen hiç bir yiyecek ya da içecek yok-
tu tepside. Sıcak su bardağının yanında verilen küçük
kağıt paketçikleri inceledi. Birinin üzerindeki İngilizce
yazıyı sökebildi sonunda. "Çay" yazıyordu. Bir yazıya,
bir sıcak su dolu bardağa baktı. Ne yapması gerektiğini
bilmiyor, ipucu edinmek için diğer masalara göz atıyor-
du. Sonunda kararını verdi. Kağıt paketi bir kenarından
güzelce yırttı, sonra paketin içindekileri dışarı dökme-
meye çalışarak dikkatli bir şekilde bardağın içine boca
etti. Bir yandan da plastik kaşıkla karıştırıyordu, ki çay
iyi demlensin.

Ne olduysa o sırada oldu. Masada oturan ve her biri birer çam yarması gibi iri kıyım İskandinav gençleri yüksek perdeden gülmeye başladılar. Karınlarını tutarak çılgın gibi gülüyorlardı. Üstelik hiç çekinmeden ona bakıyorlar ve elleriyle kağıt bardağı gösteriyorlardı gülerken. Ne yapacağını şaşırmış bir halde onları izliyordu. Yüzünün kızardığını ve alev alev yandığını hatırlıyordu.

Küçük kağıt paketi bardağın içine sarkıtması ve bir süre demlenmesini bekledikten sonra çayını içmesi gerektiğini daha sonra öğrenecekti. Gideceği yere, batıda, Büyük Okyanus kıyısındaki küçük kasabaya ulaşıp bir yıl konuk olacağı ailenin yanına yerleştikten sonra. Çayın paketlenme sebebinin, çay yapraklarını demlenmiş çaydan ayrı tutmak olduğunu öğrenince şaşırmıştı. İskandinav gençlere çok sinirlense de bu fikre büyük hayranlık duymuştu. İnsanların çok fazla sayıda acele işi olduğundan, süzgeç kullanarak zaman kaybetmelerine gerek bırakmamak çok parlak bir fikirdi doğrusu.

O gün başına gelenleri yeniden yaşarken önündeki sıcak su dolu kağıt bardaktan buhar yükselen kadına bakıyordu. Çay poşetini bardağın içinde dikkatli bir şekilde indirip kaldırışını, belli etmemeye çalıştığı bir gülümseme ile seyrediyordu. 'Poşeti yırtmadığın için çok şanslısın,' dedi içinden, gizlemeye çalıştığı gülümseme yüzüne iyice yayılmıştı bu arada. İki elinin arasında tuttuğu kola bardağını takırdatmayı sürdürdü. Pipeti her çekişte önce bol miktarda hava geliyordu ağzına, sonra da buz parçalarının birbirine çarpmasıyla oluşan takırtı sesleri çıkıyordu. En sonra da pipette biriken bir kaç su damlasının ağzında yarattığı serinliği duyumsuyordu.

İçinden bir şeyler yapmak geliyordu gelmesine ama ne yapacağına bir türlü karar veremiyordu. Müşterisi olduğu bir lokantada ne yapabilirdi ki? Elinden ne gelirdi? Adam su satmıyorum diye tutturmuştu bir kere. Daha fazla üzerine gitmenin, onu ikna etmeye çalışmanın anlamı yoktu. Gidip belediyeye şikayet etse sonuç alacağından emin değildi. Kaldı ki, bunun için ayıracak zamanı da yoktu zaten.

Ne yapabilirim diye sıkıntılı sıkıntılı düşünürken, birden kafasında şimşekler çaktı. Kararlı bir şekilde yerinden kalktı. Tartıştığı görevlilerden birini çağırarak kibar bir sesle çay istediğini söyledi. Görevli bir süre sonra içi sıcak su dolu olan kağıt bardak ve küçük paketler bulunan tepsiyi uzattı ona. Az önceki tartışmaların yarattığı gergin yüz ifadesi ve soğuk ses tonuyla "Buyurun efendim," diye de ekledi. Tepsiyi aldı ve hemen orada, bulunduğu yerde bankonun üzerine koydu. Görevlinin gözlerinin içine içine bakarak ve diğerlerinin de işitebileceği şekilde "Sizin mönünüz beni ilgilendirmez," dedi donuk bir sesle. Sonra sıcak su dolu olan kağıt bardaktaki suyu, erimeye başlamış buz kalıpları ile yarısına kadar dolu olan kola bardağının içine yavaş ve dikkatli bir şekilde boca etti. Heyecandan içi içine sığmıyordu.

Görevli genç kızın gözlerinin içine bakmayı sürdürerek kola bardağında oluşan orta sıcaklıktaki suyu sakin sakin içti. Su soğuk sayılmazdı. Fakat her yudumun içinde yarattığı ferahlığı anlatması olanaksızdı. Çok rahatlamıştı. Büyük bir mücadeleden zaferle ayrılmış gibi bir tavırla gitti, yeniden yerine oturdu. Göz ucuyla görevlinin hareketlerini inceliyordu bir yandan da. Kızcağız ne diyeceğini, ne yapacağını şaşırmış, öylece kalakalmıştı. Yaptıklarını görmüş, fakat engel olamamıştı elbette. Nasıl engelleyebilirdi ki. Müşteri çay istemiş, o da vermişti. Acaba gidip diğerlerine de anlatacak mıydı yaptıklarını. Lokantanın yöneticisi de öğrenseydi ne iyi olurdu.

Lokantadaki olayı daha sonra gözünde canlandırdığı zaman bir şey dikkatini çekmişti. Yaptığı her ne kadar gösteriş de olsa, yapılmaması gereken bir davranış da olsa, çok ilginç bir gerçeği fark etmesine yol açmıştı: Kola bardağındaki pipeti aralıklarla içine çekiyordu. Bir yandan da gözünü bardağa dikmişti ister istemez. Takırdama sesinin çok yüksek çıkmasından ve yakın masalarda oturanları rahatsız etmesinden korkuyordu, Bu yüzden pipeti içine çekerken çok dikkat ediyordu. Her çekme hareketinde elindeki bardak kağıttan bir balon gibi içeri göçüyor, pipeti bırakınca bardak da yeniden eski halini alıyordu. Bunları yaparken hem sakinleşmeye çalışıyor, hem de yaptığı işe veriyordu kendini. Oyalanmak ve yaşadığı gerilimin etkisinden kurtulabilmek için.

Sıcak su buğusunu fark edip bunu buzlarla ilişkilendirebilmiş olması elinde nelerin olduğunu bilmesine, bunu fark etmesine bağlıydı. O anda başka şey düşünüyor olsaydı belki de anlamlı bir çözüm üretemeyecekti. İnsan elindekilere ve elindeki olanaklara yoğunlaşırsa, karşılaştığı sorunları daha kolay çözüyordu. Elinde olmayan, sahip olmadığı, kullanamayacağı, yararlanamayacağı şeylere kafa yormanın pek fazla anlamı ve işe yarar bir yanı yoktu. Tıpkı öfkeyle haykırmanın, protesto etmenin, yüksek sesle şikayet etmenin çoğu kez işe yaramayışı gibi.

Somut, başı sonu belli, bir başlangıcı ve bir sonu olan eylemlerdi hayatı biçimlendiren. Bir amacı olan ve yeni bir sonuç üreten eylemler.

Olaylar peş peşe gelişince, yaşadıkları arasında benzerlikler kurma şansı artıyordu insanın. Dolayısıyla bir sonuç çıkarıyordu, bir çözüm bulabiliyordu. Sahip olduklarına yoğunlaşınca kafasını sadece çözüm bulmak için kullanıyordu, sızlanmak, dır dır etmek, höykürmek daha geri planda kalıyordu böyle yapınca. Dikkatini elindeki kola bardağına verince gördüğü ve hatırladığı şeylerle kola bardağını ilişkilendirmişti.

Daha fazla kalmak istemediği için çıktı oradan. Sahilden esen ılık rüzgar içini serinletiyordu.

Aradan bir süre geçtikten sonra o lokantada yaptıkları için kendine kızdı. Görevli genç kızın gururunu incitmişti ya da en azından kendini yenilmiş, alt edilmiş hissetmesine yol açmıştı. Kim bilir arkasından ne kadar sinirlenmiş, neler neler söylemişti kızcağız. Onun kendi açısından haklı olduğunu, elinden bir şey gelmediğini düşünebilmesi, görebilmesi gerekirdi. Daha az huysuzluk yapabilir, tartışmayı kendini kötü hissetmesine neden olmayacak şekilde kısa kesebilirdi. Gösteriş yapmış, kendini beğenmişlik taslamıştı. Bunu çok net fark ettiğinde canı sıkılmış, yaptıkları için pişmanlık duymuştu.

Fakat izlediği yol ve yöntem ne olursa olsun, bir sorunu çözmüştü işte. Susuzluğunu gidermişti. Daha da önemlisi kendini aptal yerine konulmuş gibi hissetmekten kurtulmuştu.

Gönderdiği şikayet mektubu üzerine olaydan bir süre sonra telefonla aranmıştı. Şirketin ülke sorumlusu olduğunu söyleyen biri arıyordu. Çok kibar bir dille yaşananlar yüzünden üzgün olduğunu belirtmiş, çalışma arkadaşlarının herhangi bir yanlışı olduysa bunun için çok çok özür dilemişti. Gerçi arayan kişi, "Mönümüzde su yok," diye de eklemişti. O ise "Beyefendi bu kadar zaman geçti aradan ve siz bana, 'Mönümüzde su yok,' demek için mi telefon ediyorsunuz, bunu yeteri kadar tekrarlamıştı oradaki arkadaşlarınız," diye sitem etmişti. Fakat bir yıldan daha fazla bir zaman sonra aynı lokantalardan birine yeniden gittiğinde suyun mönüye girdiğini görmüş ve çok sevinmişti. Artık isteyen su satın alabiliyordu. Demek ki tepki gösteren sadece o değildi. Lokanta yönetimi çok tepki alınca tutum değiştirmiş olmalıydı. Buna katkısı olduğu için sevinmişti.

ÇARLİ

Yapabileceği başka bir şey olmadığı için elleri cebinde ayakta dikiliyor ve lastik tamir atölyesinde olan biteni izliyordu. Henüz kendi otomobiline sıra gelmemişti, beklemesi gerekiyordu. Şansı yaver giderse öğleden önce lastiği tamir edilecek, o da gideceği yere zamanında ulaşabilecekti. Başka zaman olsa ne yapar ne eder, çok fazla beklemeden işini gördürürdü ama bulunduğu yerdeki tek lastik tamircisi burasıydı. Uslu uslu olanı biteni izlemekten ve beklemekten başka çaresi yoktu.

Usta sert ve yumuşak arası bir tonda: "Ön bijonları gevşettin mi Çarli?" diye seslendi.

Bir süre ustanın kiminle konuştuğunu anlayamadı. 'Çarli de kim?' diye düşünerek çevresine bakındı. Sonra incecik bir sesin, "Evet usta!" dediğini işitti. Dikkatli bakışlarla çevresinde sesin geldiği yeri aradı, bulamadı. 'Usta ve benden başka kimse yok, bu ses de nereden geliyor?' diye düşünürken pantolonunun paçalarına bir şeyin sürtünerek geçtiğini duyumsadı. İri bir kedi ya da orta boy bir köpek olabileceğini düşünürken onu gördü. Eğilmiş, önündeki otomobil lastiğini yuvarlayarak götürmeye çalışıyordu.

Elleri o kadar küçüktü ki. Sırtı çıplaktı. Altı ya da yedi yaşlarındaydı. Kısa bir pantolon giymiş, ayakkabı giymemişti. Suya çamura aldırmadan ilerliyordu. Her adım attığında dizlerine kadar zaten kir çamur içinde olan bacaklarına yeni su damlaları ve çamur parçacıkları sıçrıyordu. Önünde yuvarlanırken bir tarafa doğru yalpalayan lastiği düzeltebilmek için tüm gücünü kullanarak çabalıyordu. Düzelteyim derken diğer tarafa düşürecek gibi oluyor fakat zamanında önlem alıp doğrultuyor ve yuvarlamayı sürdürüyordu. O anda onu bir karıncaya benzetmekten kendini alamadı. Gövdesinden üç beş kat daha iri ve daha ağır bir kabak çekirdeğini sürüklemeye çalışan bir karıncaya. Aynı inatçılığı sergiliyor, vazgeçmiyordu. Yüzünün her noktasından, "Ne olursa olsun, bu lastik gereken yere götürülecek" sözleri okunuyordu. Bu kadar kararlı olabilmesi çok çarpıcıydı.

Epey uğraştıktan sonra başardı, lastiği yerine ulaştırabilmişti. Başarısının tadını çıkarırcasına uzun uzun baktı lastiğe kısa pantolonunu çekiştirerek. Birkaç kez arka arkaya burnunu çekti, çevresine şöyle bir göz attı. Yaptığı, başardığı şeyi gören olup olmadığını merak eden bakışlarla, özellikle de ustasından tarafa. Bu haliyle bir karıncaya daha çok benziyordu sanki, nedense insanın aklına karıncayı getiriyordu onu izlemek.

Göze olduğundan da küçük görünüyordu. Bütün

gövdesi kir içindeydi. Alnının ortasında, kaşlarının arasında minik ter damlaları birikmişti. Kısa kesilmiş saçları Akdeniz'in ılık esintisiyle hafif hafif dalgalanıyordu. Elinin kirli olan ön yüzünü değdirmemeye çalışarak parmaklarının arkasıyla başını kaşıdı.

Sürekli olarak ve belirli aralıklarla burnunu çekiyordu. Yüzünün kömür karası yağlı kiri üzerinde akan burun salgısının temiz tuttuğu alanlar, burun deliklerinin altında hemen göze çarpıyordu.

Usta arada bir ona bakarak işine devam ediyordu. Bakışları sertti, ama gizli bir sevecenlik vardı, seziliyordu. Belli ki kolluyordu onu, bir zarar gelmesini istemiyordu.

Bir an için gözden kayboldu. Hemen sonra iri kıyım bir cesedi andıran kaldıraçla geri döndü. Bu kez geri geri yürüyor, kaldıracı sürükleyerek getiriyordu. Zorlanıyor, ama bunu belli etmemeye çalışıyordu. Bu görünümüyle karıncaya daha çok benziyordu. Tam önünden geçerken göz göze geldiler. Gülümsedi. Sonra ona aldırış etmeksizin işini sürdürdü. Gülümsemesi havayı yumuşatmıştı. O an o denli sevimli gelmişti ki, ensesinden tutup gömlek cebine koymak ve arada bir saçlarını okşamak geçiyordu insanın içinden.

"Seni neden Çarli diye çağırıyorlar?" diye sordu. Çocuk omuz silkti gülümsemesini sürdürerek. Kaldıracı arabanın altına yerleştirdi, sağını solunu düzeltti, ustasını beklemeye başladı. Hava çok sıcaktı. Utangaç bir çocuk olduğunu ve kendisiyle konuşmak istemediğini düşünmüştü, ama yanılmıştı:

"Bana herkes Çarli der," dedi, konuşmaya aniden karar vermiş gibi. "Önceki ustam taktı bu adı bana. Bir gün bir turist gelmişti, arabasını tamir ediyorduk. Giderken, 'Hey Çarli!' diye yanına çağırdı beni, harçlık verdi. Ustam da bana bu adı taktı."

Adam açıklamayı yeterli bulduğunu belirtir bir yüz anlatımıyla başını salladı. Daha fazla konuşmadılar. Lafa tutmaması gerekiyordu, bu açıktı. Ustasıyla birlikte yaptıkları işleri izlemeyi sürdürdü.

Ayrılırken ona iyi bir harçlık verdi. Çarli geri çevirmedi, karşılık olarak otomobilin camını parlattı.

Çarli'yi bir şeyi yapmak istemenin, içtenlikle istemenin bir simgesi olarak anacaktı daha sonra. İstiyor olmanın getirdiği kararlılığın ve çabalamanın simgesi. İnsanın yaptığı bir şeyi gerçekten isteyerek yapmasını hatırlatıyordu Çarli ona. Zorunlu olduğu için yapmak ve istediği için yapmak arasındaki farkın derinliklerini gösteriyordu.

Aslında Çarli'nin asıl adını, ana ve babasının olup olmadığını, kaç kardeşi olduğunu, nasıl geçindiklerini, bu küçük yol üstü kasabasına nereden ve neden geldiklerini ve niçin bu denli küçük yaşta bu denli ağır bir işe kalkıştığını öğrenmeyi çok istiyordu. Ancak bütün bu soruların olası yanıtları onu ürkütüyordu. O yüzden kasabada kaldığı süre içinde ne Çarli'ye, ne de başkasına, onun hakkında soru sormayacaktı.

Çarli'yi en son gördüğünde ince bir sopayla toprak üzerine bir şeyler çiziyor, bir yandan da elinde tuttuğu kağıda sarılı ekmeği ısırıyordu. Ekmeğin içine konulmuş domates dilimleri dışarıdan fark ediliyordu.

MOR BİNLİK

Tayfur Saygılı'ya

Mor renkteki fon üzerinde kocaman rakamlarla 1000 TL yazısı bulunan o binlik sanki hayatımı kurtaracak bir can simidi gibi görünüyordu gözüme. Tam bir karamsarlık ve kötümserlik içindeki bir insan için yolda karşılaştığı bir umut dağıydı sanki. Bulunmaz Hint kumaşı, taşın toprağın altın olması gibi deyimler asla yetmezdi bu binliğin benim için taşıdığı anlamı tanımlamaya.

İşaret ve orta parmaklarının arasına sıkıştırmıştı parayı. Ben tam kapıdan içeriye adımımı atmak üzereyken ani bir hareketle kolunu dirseğinden doksan derece yana çevirmiş, kapının önünde koluyla bir engel oluşturarak beni durdurmuştu. Bu ona özgü bir haraketti, yani kolunu bu şekilde yana uzatmak.

Dargındık, kavga etmiştik. On güne yakın bir süredir hiç konuşmuyor, aynı evde yaşıyor olmamıza rağmen selamlaşmıyorduk bile. Birbirimizin olduğu ortamlardan uzak durmaya çalışıyorduk. Beş arkadaş aynı evde kalıyor, aynı okulda okuyor, her sabah yollara aynı otobüs durağından düşüyorduk. Kavga ettiğimizden bu yana evden çıkış zamanımı ona göre ayarlıyor, ondan yeteri kadar önce ya da sonra çıkmaya özen gösteriyordum, karşılaşmamak, selamlaşmak zorunda kalmamak için. Öteki ev arkadaşlarımızın çabaları, ısrarları para etmemiş, onunla barışmaya yanaşmamıştım. Korkunç bir öfke duyuyordum ona karşı.

Aslına bakarsanız öfke de değildi bu. Derin bir kırgınlık, küskünlük, dargınlık demek daha doğru sanırım. Ne de olsa ayakta durmaya çalışan, ailelerimizin dişinden tırnağından artırıp gönderdiği parayla geçinmeye ve okumaya çabalayan öğrencilerdik hepimiz. Omuzlarımız düşüktü her zaman. Cesaretimiz, girişkenliğimiz, ataklığımız küllenmişti. Özetle bizim gibiler için öfke bir lükstü o sıralar. Sadece çok sinirlendiğimiz zaman, o da cılız bir şekilde sergileyebildiğimiz ve kısa sürede yerini suskunluğa bırakan bir lüks.

Ne için kavga ettiğimizi hatırlamıyorum. Fakat çok fena kapışmıştık. Birbirimize söylemediğimiz şey kalmamıştı. Onunla olan arkadaşlığımızın artık kesin olarak bittiğini, "aynı evi paylaşma zorunluluğu" dışında bütün bağlarımızın koptuğunu düşünüyordum.

Hayır, almamalı, kaba olmamaya çalışarak geri çevirmeliydim. En doğrusu buydu kesinlikle. Sen tut, kavga ettiğin, söylemedik laf bırakmadığın, bir kaşık suda boğmayı bile düşündüğün birinden borç para al. Olacak şey değildi. Hayır hayır, alamazdım.

Beni durdurmak için uzattığı kolunu ve elinde tuttuğu mor binliği bir süre süzdüm. Sonra yaptığının ne anlama geldiğini çözebilmek için yüzüne baktım. Bana bakmıyordu. Gözleri kızgın kızgın karşımızdaki apartmanın duvarını süzüyordu. Kaşları çatıktı. Bakışlarındaki anlamsızlığı ve vurdumduymaz olma çabasını hiç unutamam. Sinirlendiği zaman yaptığı gibi ağız kenarını ısırıyordu.

Parayı almayı gururuma yediremiyordum. Öyle ya, bir küfür etmediğin kalsın, sonra da yardım önerisini kabul et. Olacak şey değil, erkekliğe, delikanlılığa sığmaz asla.

Onunla tanıştığımızdan bu yana geçen üç yıl bir film şeridi gibi gözümün önüne geldi. Birlikte İzmir'e, okula, hayata yani parasızlığa ettiğimiz küfürleri, İnciraltı'ndan Bornova'daki üniversite kampusuna kadar -hiç yoksa yirmi kilometre vardır- yaptığımız uzun yürüyüşleri hatırladım. Havadan sudan konuşur, yetişkin kimliklerimizi inşa ederdik farkında olmadan, yerine göre filozof kesildiğimiz bile olurdu bu yürüyüşlerde. Kimi zaman dostluk, arkadaşlık ve kardeşlik kavramlarının ne olup ne olmadığını konuşurduk uzun uzun. Kimi zaman birbirimize kız tavlama sanatının inceliklerini anlatır kahkahalarla gülerdik. Hiç bilmediğimiz ve hiç öğrenmeyeceğimiz inceliklerini. Ülkeyi kaç kez kurtardığımızın, uzay, evren ve yaşam üzerine yaptığımız ateşli tartışmaların haddini hesabını sormayın artık.

Bir keresinde sahilde, uzun yürüyüş rotamızın ortalarına denk gelen Kordon'daki kahvelerden birinde oturup çay içmiş, kahvedekilerin takıldığı, dalga geçtiği, "kafa bulduğu" delimsi bir adamla uzun uzun sohbet etmiştik. Onunla iletişim kurmaya çabalıyor, ona değer verdiğimizi hissettirmek istiyorduk. İnsan ruhunun derinliklerini anlamaya, sökmeye çalışıyorduk belki de.

Delimsi adam lafın bir yerinde nereden aklına geldiyse bize ana avrat küfretmeye, bağırmaya çağırmaya başlamış, neye uğradığımızı şaşırmış bir halde can havliyle kaçmak zorunda kalmıştık. Uzun süre kovalamıştı adam bizi. Kahvedekilerin arkamızdan koyuverdiği kahkahalara çok bozulmuştuk. Sonradan yaptığımız "değerlendirme"de olayın neden kaynaklandığını bilememekle birlikte, kesinlikle bir "şizofrenik atak" olduğu konusunda görüş birliğine varmıştık.

> Sevinsem mi, şaşırsam mı karar veremiyordum. Parayı alsam mı yoksa almasam mı? Bilemiyordum. Gerçekçi olmak gerekirse şu anda o mor binlikten daha fazla gereksinim duyduğum herhangi bir şey olamazdı. Bir dolu borcum vardı ve hiç param yoktu. Uzun süredir iş de bulamamıştım.

Çok zor bir dersin sınavından dört buçuktan beş alıp sınıfı geçtiğimiz günü hiç unutamam. Konak meydanının en işlek caddesinde karşıdan karşıya takla atarak geçmiştik, diğer insanların şaşkın ve biraz da korkulu bakışlarına aldırmadan. Çünkü sınıfı geçersek bunu yapacağımıza söz vermiştik arkadaşlarımıza. Yaparsın, yapamazsın diye iddiaya girmiştik.

Balçova teleferiğinde o sıralar görev yapan amca bizi hatırlar mı şimdi bilmem. Zil zurna sarhoş bir şekilde, elimizde ayakkabılarımız, aşağı inmek için teleferik kuyruğuna girmiştik. Sıra bize gelince görevli amca biletimizi istedi. İkimiz bir ağızdan, "Biz yaya çıktık yukarıya, o yüzden bilet almadık," diye açıkladık böbürlenerek. Amcanın neden bize inanmadığını bugün bile anlamış değilim. Bıyık altından gülmüş, "Tabii tabii," demişti. Teleferiğe binme sırası bize gelmiş olmasına rağmen ikimizi de kenara itekleyip beklememizi söylemişti.

Orada öylece beklemek zorunda kalmıştık sebebini bilmeden. Ayakta zor duruyorduk. Pantolonlarımızın paçalarını sıvazlamıştık, çünkü dizlerimize kadar çamur içindeydi ayaklarımız.

Piyangoda büyük ikramiyeyi tek rakamla kaçırdığım için teselli ikramiyesi çıkmıştı bana -çok gerekliymiş gibi! İkramiyeyi Konak'taki piyango idaresinden birlikte almıştık ve bunu kutlamak üzere Balçova teleferiğine binip tepeye çıkmaya, kafaları çekmeye karar vermiştik. Aslında ben hem teselli ikramiyesini, yani kazandığım parayı kutlayacaktım, hem de büyük ikramiyeyi kaçırmış olmanın yarattığı şoku ve hayal kırıklığını sineye çekecektim. Kolay değildi işim.

Teleferik bileti almak üzere gişeye yöneldiğim sırada beni durdurmuştu: "Ne demeye o kadar parayı veriyoruz ki?! Topu topu bir kilometre ya var ya yok. Neden tırmanmıyoruz?" demişti. "Hem zaten büyük ikramiyeyi de kaçırdın pisi pisine," diye de eklemişti kah kah gülerek.

"Yahu deli olma kardeşim, bu kış kıyamette, yol yok, iz yok. O kadar yokuş tırmanılır mı?" demek aklıma geldi gelmesine. Fakat birbirimizi yeni yeni tanıdığımız o günlerde içinden "süt çocuğu" diyerek benimle alay etmesinden korktum. "Tamam," dedim. Nasılsa dağa bayıra yabancı insanlar değildik ikimiz de.

Dala çöpe tutuna tutuna, düşe kalka tırmanmıştık. Bağıra çağıra oradan oraya koşuştururken bir yandan da üzerimizden geçen teleferik kabinlerine el sallıyorduk. Tepeye varınca da kır lokantalarından birinde birbirimizle yarışırcasına içmiştik, gözlerimiz bulanıncaya kadar. Kış günü çıplak ayaklarla, yaka bağır açık, haykırır gibi konuşmamız bundandı.

Bir yandan, görevli amca bizi unuttu herhalde diye endişeleniyor bir yandan da içtiklerimizin etkisinden kurtulup yavaş yavaş hissetmeye başladığımız Şubat soğuğundan korunmaya çabalıyorduk sırtımızdakilere sıkıca yapışarak. Sonunda görevlinin neyi beklediğini anladık. Deneyimli adam tabii. Teleferik dört kişilikti ve bizim durumumuzu yadırgamayacak iki yol arkadaşı beklemişti haklı olarak. İki sarhoş daha gelmiş, bizi onlarla birlikte teleferik kabinine bindirmiş ve arkamızdan da aşağıya telefon etmişti. O kadar beklediğimiz için değil ama aşağı indikten sonra almak zorunda kaldığımız çift yön teleferik biletine ödediğimiz para için çok bozulmuştuk.

Kendini borçlu hissediyor olabilir miydi acaba. Bu düşünce önce çekici gelmekle birlikte, kısa sürede değerini yitirmişti gözümde. Borçlu falan hissediyor olamazdı, hayır. Aramızda "ayrı bir hukuk vardı" ve bu tür ufak (!) şeylerin o hukukta yeri yoktu.

Ona ilişkin en etkileyici anım, okula yeni başladığımız günlerdeki tanışmamızdır. Üniversite sınavı sonuçları geldiğinde sevinmiş, çevremde aynı okulu kazanan başka tanıdıklar var mı diye soruşturmaya başlamıştım. Ortak bir tanıdığımız bana ondan ve kardeşinden söz etmiş, aynı okulu kazandığımızı ve İzmir'e gittiğimde onları bulmamı söylemişti. Birbirimize destek olabilir, hatta belki de kalacak yer sorununu birlikte çözebilirdik. Benim durumumdaki biri için bu çok parlak bir fikirdi.

Fakülte binasına girdiğim andan başlayarak onu ve kardeşini aramaya başladım. İzmir'de kalacak yerim yoktu. Üniversite değiştirdiğim için öğrenci yurdunda kalmama izin verilmemişti. Birkaç gün sonra onu kardeşi ile birlikte derse girerken bulmuştum. Ayaklarında o zamanlar imrendiğim Beykoz kunduraları, sadece tonları birbirinden farklı olan gri-bej arası renkte yeni pardösüleri, kalın, gür ve simsiyah saçları ile iki kardeş birbirine ne kadar da benziyorlardı.

Kısa sürede yakınlaştık. Ne de olsa aynı yörenin insanlarıydık. Ben hemen konuya girmiş, kaldıkları evde benim de onlara katılıp katılamayacağımı sormuştum. "Bunu isterdik," demişlerdi içtenlikle, "ama hiç yer yok."

Ben üstelemiş, iki adımlık bir boşlukta bile kimseyi rahatsız etmeden kıvrılıp uyuyabileceğimi, ayrıca evin giderlerine ortak olacağımı söylemiştim. Para katkısının önemli olmadığını söylemişlerdi cevap olarak. Bir ailenin yanında kalıyorlardı ve gerçekten onlara ayrılan odada hiç yer yoktu, dediklerine göre.

Bunu anlamam çok zordu. Nasıl olabilirdi ki? İki yatağın sığabildiği bir odada bir üçüncüye her zaman yer bulunabilirdi. Zor durumdaydım. Kendi başıma ev tutmaya gücüm yetmezdi. Daha önce hiç gelmediğim İzmir kentinde ilk iki gecemi, yaz mevsiminin tam olarak sona ermemiş olmasından cesaret alarak, parktaki bir bankın üzerinde uyuyarak geçirmiştim, paramı çarçur etmemek adına. Sonra paraya kıyarak küçük ve çok ucuz bir otele taşınmıştım. Evet ucuzdu ucuz olmasına ama, otel ücretini uzun süre karşılayamazdım.

Onu rahatsız eden benim ısrar edişim değildi. Daha sonraki konuşmalarımızda bunu açıklayacaktı bana. O asıl kendisine inanmayışımdan etkilenmişti. Ben konuşurken sakin sakin dinlemiş, hiç bir şey söylememişti.

Daha sonra tam yanlarından ayrılacakken kendileriyle gelmemi söyledi. İkiletmeden kabul ettim. Dar ve karanlık sokaklardan geçtik. İzmir'in en eski semtlerinden biriydi burası. Sonunda bir büyük demir kapıdan içeri girdik. Fazla ses çıkarmamaya çalışıyorduk. Ev sahipleri rahatsız olmamalıydı. Kaldıkları odadan içeri girdik. Sözcüğü yazdıktan hemen sonra fark ettim, "girdik" demek yanlıştı. Çünkü içeri girmek olanaksızdı, kapının eşiğinde durmak zorunda kalmıştım. Daracık odanın tamamını iki ince karyola kaplamıştı. Odada başka boş alan yoktu. Karyolalar arasında bir karıştan daha az bir boşluk vardı, o kadar. O boşlukta da ancak bir kişi yan yan yürüyebilirdi, karyolanın başucuna kadar gidip yatağına uzanmak için. Yataklarına ulaşmaları, ancak sırayla girerlerse mümkün olabiliyordu.

O anda kendimi çok kötü hissetmiştim. Bana yer olmadığını söylemişti ve gerçekten yer yoktu. İnanmak çok zordu belki, ama doğruydu. İki kişi aynı anda ayakkabısını bile çıkaramazdı odanın içinde. Çünkü "odanın içi" diye bir şeyden söz etmek olanaksızdı. Konuşurken bocalıyor, ona inanmadığım için kendimi bağışlatmaya yarayacak söz bulmak için geveleyip duruyordum.

> Almalı mıydım acaba mor binliği? Bugün bana, yarın sana. Bu yalın bir gerçeklik, kesinlikle. Fakat yine de gizli ve çok rahatsız edici bir güç beni engelliyordu sanki.

Aradan birkaç ay geçmiş, ben, o ve kardeşi iki başka arkadaş daha bularak hep birlikte bir buçuk odalı eski ve her yanı dökülen bir eve taşınmıştık. Gerçi kiraladığımız bu yere ev diyebilmek için her şeyden önce bir kapısının olması gerekiyordu. Kapı görevini kanatları birbirine kavuşmayan iki metal kütle görüyordu. Metal kütleleri birbirine yaklaştırıyor, kalın bir zincirle birbirine bağlıyor sonra da zincirin halkalarını bir asma kilitle birleştiriyorduk. Fakat biz bu gibi ufak ayrıntılarla uğraşmayı aklımıza bile getirmemiş, bulduğumuz ilk düzlüğe sünger yataklarımızı sererek uzun birer uyku çekmiştik ilk akşam. Pılı pırtımızı sırtımızda taşımak epey hırpalamış olmalıydı bizi.

Sevinçliydik. Başımızı sokacak bir evimiz vardı. Üstelik kirası beş eşit parçaya bölününce bizim için bile ucuz sayılabilirdi. Yurtta kalmanın iyi tarafları olmakla birlikte, çok zor yönleri de vardı, bunlardan kurtulmuştuk. Dilediğimiz saate kadar ders çalışabilecek, kağıt oyunu oynarken birbirimize rahatlıkla bağırabilecektik.

Mor binliği alma fikri artık daha kabul edilebilir geliyordu. Onun da benim kadar gereksinimi vardı bu paraya, emindim. Fakat şu anda, böyle bir durumda 'Nereden bulmuş, nasıl denkleştirmiş?' diye düşünmenin alemi yoktu. Parası vardı ki veriyordu işte. Hem kararlılığı başka ne şekilde açıklanabilirdi ki? Bana aynen şöyle bağırıyordu sanki:

'Ulan hıyar! Seninle kavga etmiş olmamız ayrı, sana bu parayı vermem ayrı. Elmayla armudu birbirine karıştırma her zamanki gibi. Al şunu ve toz ol! Yoksa elimden bir kaza çıkacak haberin olsun.'

Evet, gerçekten de bunlar onun sözleri kesinlikle. İzmir'deki yıllarımızda, o yirmi yaş merkezli dünyamızda başka türlü konuşamazdı. Birbirimize ev arkadaşı olmanın yanında kardeş olmayı, ağabey olmayı, baba olmayı öğrenmek zorunda kaldığımız o çetrefil günlerde, başka türlü bir tepki beklenemezdi ondan. Uslu uslu kabul etmekten başka çarem yoktu aslında.

Bana verecek parasının olduğunu söylüyordu ve bu kez ona inanmalıydım. Borç para aradığımı ortak arka-

daşlarımızdan bir şekilde öğrenmiş olmalıydı. Bulama-
dığımı da tabii.

Kendimle verdiğim mücadele beni de, onu da rahatsız
etmişti. Başka zaman olsa geri çevirir, üstelemesini bek-
lerdim kuşkusuz. Fakat o anda onunla konuşmayı, ona
bir şey söylemeyi kendime yediremiyordum. O günlerde
güçlü engellerim vardı bunun için.

Sıkıntılarımdan tamamen kurtulmuş gibi hissediyor-
dum o anda. Yine de benim için çok zor bir karardı pa-
rayı almak. Beni rahatlatan bu paranın borçlarımı ka-
patmaya ve bir süre için de olsa diğer gereksinimlerimi
karşılamaya yetecek olması değildi sadece. O anda ken-
dimi önemsenmiş, değer verilmiş bulmuştum. Koşulsuz
ve düşünmeden yardım etmeye hazır bir dostun varlığını
hissetmiştim. Sorunların ezici gücü paylaştıkça katlanılır
oluyordu. Dertler paylaştıkça azalıyordu. Yeter ki paylaş-
tıkça artan bir sevgi çeşidi bulunsun insanlar arasında.

O olayın ardından uzunca bir süre daha dargınlığı sür-
dürecek ve nasıl barıştığımızı ikimiz de unutacaktık. Ha-
tırladığımız tek şey, geçirdiğimiz o zorlu yılların içinde,
her şeye rağmen yaşadığımız eğlenceli, komik ve neşeli
günler olacak, sonraki yıllarda o günlerdeki hallerimiz
nedeniyle birbirimize takılmayı, birbirimizi takma adla-
rımızla çağırarak şakacıktan iğnelemeyi sürdürecektik.

Mor binliği hızlı bir hareketle alıp cebime koydum
ve oradan uzaklaştım.

BATSIN BU DÜNYA

Ne zaman şarkılarını işitsem, senden ne zaman söz edilse, aklıma hemen o televizyon programı gelir. Her zamanki mağrur ve sakin gülümsemenle soruları yanıtlamıştın hani. Son derece doğaldın. Kendindin yani. Kibar olmak, şirin olmak ya da belli bir şekilde görünmek için herhangi bir çaba göstermediğin her halinden anlaşılıyordu. Doğaldın işte, hem de olabilecek en içten biçimde.

En çok şaşırdığım neydi biliyor musun? Sunucunun sorduğu soruyu sakin ve soğukkanlı bir biçimde, "Bana yanlış yapıldı," diye cevaplamıştın. O kadar vurgusuz ve sade söylemiştin ki bunu, en ufak bir sitem, serzeniş, başkaldırı, isyan ya da küçücük bir hesap sorma yoktu sözlerinde. Aslında ben bunları beklemiş, söylediklerinin arkasında bunları aramıştım sen konuşurken. Fakat sen en küçük bir sızlanış ya da haksızlığa uğramışlık olmayan sesinle o kadar duru ve yalın bir biçimde özetlemiştin ki:

"Bana yıllarca yanlış yapıldı."

Sanki 'bugün kar yağdı' ya da 'parka çıkıp biraz dolaştım' der gibiydi yüzündeki anlatım. Vurgusuz, tonsuz, net ve kesin, fakat son derece sevecen. Nasıl bu kadar hoşgörülü olabiliyordun, hayret etmiştim.

Elbette yanlıştı sana yapılanlar. Bilmez miyim. Ne çok tartışırdım arkadaşlarımla o günlerde. Senin şarkılarının "küçük burjuva özentileri" olduğunu iddia ederlerdi. İnsanlara teslimiyet aşıladığını ileri sürerlerdi. Daha birçok olumsuz şey söylerlerdi sana ve şarkılarına yönelik olarak. Ben bunlara karşı çıkardım. "Nasıl olabilir!" derdim şaşkınlıkla. "Eğer insanlar seviyor ve dinliyorsa o zaman bunda ne kötülük olabilir ki? Kime ne zararı var? Yani insanlar diledikleri müzikten hoşlanamazlar mı? Onların neyi seveceğine biz mi karar vereceğiz?" Birçok kez dayağın eşiğinden dönmüştüm. Değil mi ki sen şarkı söylerken insanlar hüzünleniyordu, o zaman iş bitmişti. 'Konu kapanmıştır!', 'Tartışacak bir şey yok..!'

Oysa insanın hüzün duygusunu sevmesinde ne gibi bir sakınca olabilir ki? Neden sanki neşeli, gülümsetici ya da coşkulu olmak zorunda tüm şarkılar? Acıklı, içli, yanık ezgiler sevilemez mi, dinlenemez mi? İnsan tercihlerini, insan beğenilerini bir şablona uydurmanın anlamı var mı? Sevinç neyse, coşku neyse, hüzün de öyle bir duygu değil mi? Bunun kültür geçmişimizle ilgili olması, kültürel olarak şu ya da bu yapıda olmamıza bağlı olması neyi değiştirir? Olursa olsun, ne yapalım?

Kimse bu sorularıma anlaşılır bir yanıt verememişti o zamanlar. "Hayır!"dı tüm yanıtlar, en katı biçiminden hem de. Toplum olarak "ezilmiş!"tik, aşağılık kompleksi içindeydik! Hüznü sevmemizin tek nedeni bu idi.

Yılmadım. Bana ters gelen fikirleri kabul etmedim. İnandıklarımı söylemekten vazgeçmedim. Tartıştım onlarla sürekli.

"Sen enginar yemeğini seviyorsun diye kimse sana bir şey diyor mu?"

"Yemek başka, bu başka ama!"

"Nasıl başka olabilir anlayamıyorum. İkisi de zevk, ikisi de seçim. Biri yemek seçimi, diğeri müzik seçimi."

"Hadi canım sen de. Herkesin kabul ettiği şeye neden illa da itiraz edersin anlamıyorum! Arabesk müziğin kaliteden yoksun olduğunu sağır sultan bile biliyor artık. İnsanlarımız için zararlı bu müzik, işte o kadar!"

"Neden? Sen ve senin gibiler sevmediği, istemediği için mi zararlı? Hem arabesksе arabesk. Sen o adı takıyorsan varsın öyle olsun. Arabesk olmaması neden gerekiyor? Sen beğenmiyorsun diye arabesk olan bir şeye 'Tuu kaka' demek zorunda mıyız yani!?"

"Hiç de değil!"

"Ne peki?"

"Hiç kimse beğenmiyor!"

"Peki bu yüz binlerce kaseti -o günlerde sidi midi yoktu daha- kim satın alıyor dersin? Uzaylılar mı?"

"Yani ben aklı başında olan hiç kimse sevmiyor demek istedim."

"Yaa? Sen o aklınla bin yaşa. Demek tercihini o yönde yapanların aklı başında değil, öyle mi?"

"Ben burada sanattan söz ediyorum sanattan! Sen kalkmış nelerden dem vuruyorsun. Saçmalama lütfen. Ne ilgisi var şimdi?"

"İlgisi çok. Sanata önem vermeni anlıyorum. Bu yönde bir seçim yapmış olmanı da doğal karşılıyorum. Buna saygı duyuyorum. Fakat ben sadece hoşlandığım şarkıyı dinlemek istiyorum. Hepsi bu. Şimdi ne olacak? Senin baktığın gibi bakıp, senin gördüğün gibi görmek zorunda mıyım? Sen istediğin müziği dinleyebilecek, operayı, sergiyi izleyebileceksin. Fakat benim için bu konularda bir tercih yapmak söz konusu olamayacak öyle mi?! Nasıl bu kadar haksızlık edebiliyorsun?"

"Bırak canım sen de! Bilim diye bir şey var, kalite diye bir şey var. Amerika'yı yeniden keşfetmeye kalkma şimdi. Her şeyin bir standardı var. Bunu nasıl anlamazsın şaşıyorum."

"Bunu çok iyi anlıyorum. Gerçekten de her şeyin bir standardı olmalı. Fakat burada sorun şu: Sen diyorsun ki, bu konuda standardı sadece ben koyarım. Ben bunu anlayamıyorum."

"Tabii ki ben koyacağım. Yok, gidip dolmuş sürücüsüne mi soracağım standart ne olmalı, diye! Elbette işten anlayan, okumuş, yazmış insanlar bilecek doğrusunu."

"Kusura bakma ama saçmalıyorsun iyice."

"Saçmalayan sensin! Hadi işine be, asabımı bozma benim!"

...

Tartışmamız böyle sürer giderdi saatlerce. Bir yere varamazdık. Ben çok öfkelenirdim. Açık, net bir haksızlıktı yaptıkları bence. Aşağılama da içeren bir haksızlık. Şimdi de öyle geliyor. Bir insanın kendine tanıdığı bir seçme özgürlüğünü başkasına tanımak istemeyişi nasıl açıklanabilir ki başka.

Şarkılarını severdim ama senin yaptığın müziğin fanatiği değildim ben. Her tür müzikten hoşlanırdım. Hatta sonra sonra bazı klasik batı müziği yapıtları da beni etkileyebilmiştir. Ama konu benim neyi sevip neyi sevmediğim değildi ki. Başkasını rahatsız etmemek koşuluyla her insan dilediği seçimi yapabilmeli, dilediği gibi yaşayabilmeliydi bence. Benim isyanım bunun içindi.

Bence onlar da tam olarak neye karşı çıktıklarını bilmiyorlardı. Yoksa ne diye "Bir gün mutlaka göreceğiz o güzel yarınları" diyen birini umutsuzluk aşılamakla suçlasınlar ki? Seni yerden yere vururlardı vurmasına ama yine de sözün bir yerinde durur, 'nasıl da etkiliyor adam milyonları, nasıl da peşinden sürüklüyor' diye hayıflanmadan geçemezlerdi. Gizli bir kıskançlık ve hayranlık belirtisi göstermeden edemezlerdi yani.

Ben sana yapılan yanlışın farkındaydım ve bu yanlışı bir türlü içime sindiremiyordum. Yaptığın müziğin arabesk diyerek karalanmaya çalışılmasına, sakıncalı olduğunun ileri sürülmesine, dinleyenler üzerinde kötü etkiler yarattığının iddia edilmesine anlam veremiyordum bir türlü.

En çok da teslimiyet aşıladığını ileri sürmelerine bozuluyordum. "Kula kulluk edene yazıklar olsun" diye haykırıyordun sen. Başka bir insana kulluk etmemelerini söylüyor, haksızlıklara başkaldırmalarını ve hayatın dayattıklarını sineye çekmemelerini öğütlüyordun insanlara. Bunun neresinde teslimiyet vardı, anlayamıyordum. Kendini "aydın" diye niteleyen eğitimli insanların kendi aralarında konuşurken "arabesk" diye adlandırdıkları müziği alay konusu yapmalarını bir türlü bağışlayamıyordum.

Sen, "Bana yıllarca yanlış yapıldı." derken benim aklıma gelenler bunlardı.

İnsanlara yalnız olmadıklarını hissettiriyordun. Onların yanında olduğunu duyumsatıyordun. Sanki davetlerini kırmayıp şarkılarınla sofralarına konuk oluyordun onların. Bir kap çorbasını birlikte içiyor, bir baş kuru soğanını birlikte kırıyordun. Seni kendilerine bir dost, bir can yoldaşı görüyordu onlar. Şarkılarını dinledikçe yaşamdan daha az kopuyorlardı. Daha da önemlisi, daha az korkuyorlardı. O kargaşalı, vurdulu kırdılı günlerde bu o kadar önemliydi ki.

O yıllarda her şeyden çok daha değerliydi senin işlevin. Her fırsatta senin bir halk kahramanı olduğunu ve şarkılarının çok ama çok önemli bir iş gördüğünü ateşli bir şekilde savunmam bu yüzdendi. "Severek ayrılalım, aşka hasret kalalım, eğer mutlu olursak yeniden barışalım" diyordun. Pes etmeyelim, bir şekilde barışı, sevgiyi yakalayalım diyordun yani. Her şey bir yana, sadece bu güzel duygulardan söz ettiğin için kahramandın benim gözümde; o yıllarda insanların akıllarına çok ender gelen duygulardan.

Her tür müzik olurdu da, asla senin şarkıların yayınlanmazdı radyo ve televizyonda. Üvey evlat gibiydin. Senin şarkılarının "hor görülmesi" bana anlaşılmaz gelirdi. Belki de sana yapılan yanlışların içinde beni en çok üzen buydu.

Sana ve şarkılarına uygulanan televizyon yasağı uzun süre devam etmişti. Ve ilk kez bir bayram ya da yılbaşı gecesinde delinmişti yanılmıyorsam. O gece için, sadece o gece için yasak kalkmış ve ülkede var olan tek televizyon ekranında şarkı söylemiştin. Ne büyük bir "ilk"ti o benim için, anlatamam. Bir tabunun yıkılmasıydı. Önemli bir açmazın aşılacağını gösteren bir belirtiydi. Kolay değil. Şimdiki gibi özel televizyon, özel radyo, şu, bu yok. Her şey suyun başında olanların iki dudağı arasında. Suyun başında olanlar da pazar gününün en keyifli saatlerinde klasik müzik dinlememi "uygun buyuruyordu". Hem de var olan tek televizyondan! Onlara göre gelişmenin, uygarlaşmanın, aydınlanmanın, batılılaşmanın yolu buydu çünkü. Böyle bir iddiaya şimdi de gülümsüyorum ben...

Klasik müzik dedim de aklıma geldi. Ne çok heyecanlanmıştım Viyana'da. Klasik batı müziği dinlemek için yarım saat öncesinden salona girip oturmuştum. Üzerinde bulunduğum koltuk bana ve sabırsızlığıma dar gelmişti. Bir öne kaykılıyor, bir yana eğiliyor, ne zaman başlayacak diye kımıldanıp duruyordum. Bu ilk olacaktı. Daha önce hiç ciddi ciddi "kaliteli" müzik dinlememiştim.

Beklerken lisedeki müzik öğretmenimizin sözleri yankılanıyordu kulaklarımda. Derslerin birinde klasik batı müziği plakları dinletmişti bize. "Her eser bir öyküye dayanır," demişti. "Eğer müzik kulağınız varsa her bir tıngırtıyı, her bir sesi anlamlandırır, yorumlar ve anlatılmak istenen öyküyü gözünüzde canlandırırsınız," diye de eklemişti. "Saraydan kız kaçırma" çalıyordu, öğretmenimiz bir yandan can kulağıyla müziği dinliyor, bir yandan da "Bakın bakın. Şimdi atlar dörtnala koşuyor. Şimdi ormanı geçtiler. Bir dere yatağının kenarında durdular, geçmeye çabalıyorlar… Derenin şırıltısını işitebiliyor musunuz?" diye açıklamalar yapıyordu. "İzleyebiliyorsunuz değil mi çocuklar?"

Biz elbette izlemeye, dinlemeye, anlamaya çalışıyorduk. Özellikle de ben. O derste öğretmenin söylediği her şeyi, işittiğim müzikle bağdaştırmak, birleştirmek için ne çok çaba göstermiştim. O kadar ki, Bitirim Ali'nin el altından gözümü hedef alarak fırlattığı silgi parçalarına bile aldırmamıştım. Başka zaman olsa canına okurdum onun. Tüm derdim dinlediğim müziği anlamaktı, yorumlayabilmekti. Bu çok önemliydi.

Ama olmamıştı. Bir türlü amacıma ulaşamamış, işittiğim müziği öğretmenin anlattıklarıyla birleştirememiştim. Sorun bendeydi kesin. Müzik kulağı yoktu bende, müzik zevkimi geliştirmemiş, abur cubur şeylerle zaman geçirmiştim. Bu nedenle kendime ne çok kızmıştım. Viyana'da konserin başlamasını beklerken bunlar gelmişti aklıma, 'Belki bu sefer yapabilirim, belki batı müziğini sevmeyi, anlamayı bu kez başarırım,' diye düşünürken.

Sonunda başladı konser. Ben pür dikkat kendimi vermiş, dinlemiştim uzun süre. Biliyorum komik gelecek ama, Viyana'da, konser salonunda müzik başladıktan hemen sonra gülümseyen, neşelenen insanlar arayacaktım. Hani, senin yaptığın müzik için, "İnsanı hüzünlendiriyor," diyorlardı ya. Hatta daha ileri gidenler de oluyordu; "ağlatıyor, karamsarlık aşılıyor, aşağılık kompleksi geliştiriyor, insanları intihara sürüklüyor"du senin şarkıların. O halde kaliteli olduğu savunulan müziği dinleyen insanlarda bunların tersi olmalıydı. Çünkü kaliteli ise hüzünlendirmemeli, tersine güldürmeli, neşelendirmeliydi. Benim mantığım bunu gerektiriyordu o zamanlar. Hele çalan -pardon "icra eden"- Viyana Filarmoni Orkestrası gibi dünyaca ünlü bir topluluk ise, gerçekten öyle olmalıydı.

Çevremdekileri rahatsız etmemeye çalışarak birer birer yüzlerine bakmıştım. Gülmeyi bir tarafa bırak, gülümseyen birini bile görememiştim. Herkes somurtuk somurtuk oturuyordu. İki dirhem bir çekirdek giyinmişlerdi. Hanımlar aynayla uzun zaman geçirmişlerdi besbelli.

Salondaki birçok yaşlı amca resmen uyuyor, arada bir, müziğin aniden yükseldiği zamanlarda irkilerek uyanıyordu. Konser boyunca yüzündeki boyaya zarar vermemeye çalışarak yaşlanan gözlerini zarif mendiliyle silen bir dolu teyze görmüştüm. Şaşkınlıktan ağzım açık kalmıştı. Kaliteli müzik de insanı hüzünlendirebiliyor, üzebiliyor hatta ağlatabiliyordu. Bu nasıl bir işti, anlayamamıştım. Hüzünlendirdiği, üzdüğü, ağlattığı ileri sürülerek yerden yere vurulan senin şarkılarının nesi vardı o zaman? Nasıl oluyordu da senin şarkılarının umutsuzluk, karamsarlık, kara bahtlılık, aşağılık kompleksi, intihar eğilimi vesaire aşıladığını iddia edebiliyorlardı ki. "Yılların günahı kaderde mi kalacak, elbet bir gün insanlık sizden hesap soracak" demenin neresi karamsarlık, neresi teslimiyetçilik olabilirdi? "Bir gün mutlaka göreceğiz biz de o güzel yarınları. Yaşıyorsak eğer bir gün mutlaka gülecek her birimiz" dizeleri karamsarlık ve umutsuzluk aşılayacak bir biçimde nasıl söylenebilirdi acaba, çok merak ediyordum.

Eğer sen, "Dünü bırak, geleceğe bak. Hayallere tutunma, uyan!" mesajını vermek istemediysen ne için, "Dünya sana kalır sanma, geleceği dünden sorma, her gün gördüğün rüyayı, aldanıp da hayra yorma" demiş olabilirdin? "Uyan artık kara bahtım, uyan da bak geçenlere, kader diye diye geldik, şu kapkaranlık günlere" derken nasıl boyun eğmeyi savunmuş olabilirdin?

"Ne ararsan var bu dünyada, Dertler varsa mutluluk var, Ne dert varsa çaresi var" diyerek mi umutlarını yıkıyordun insanların? "Yaşamak istiyorsan feleğe küsme, Yaşadığın her günü gün etmeye bak, Kader oyun ettiyse sakın üzülme. Geçmişe mazi derler geleceğe bak, Birini seviyorsan utanma söyle, Yaşadığın her günün kıymetini bil, Uzun lafın kısası bu hayat böyle" sözleriyle kim bilir kaç zavallının tüm hayallerini yıkmış, kaç kişinin tüm iyimserliğini yok etmişsindir!

"Bir kapıdan gireceksin, Neler neler göreceksin, Her çileye göğüs gerip, Hayat budur diyeceksin. Gün gelecek isyan edip, Niye doğdum diyeceksin, Gün gelecek isyanına, Kahkahayla güleceksin." Bu dizeler herhalde gizliden gizliye dinleyenlerin canına okuduğun, onların hayatı çekilmez bulup intihara yeltenmelerine sebep olduğun sözler olmalı.

Wolfgang Amadeus Mozart Abi'nin inişli çıkışlı, bazen gür, bazen sakin, bir coşkulu bir hazin notalarının akışına kendimi kaptırmaya var gücümle çabalarken, 'Peki, o halde keramet nerede?' diye düşündüm uzun süre. Madem senin yapıtların insanları efkarlandırıyor ve kaliteli değil, o halde kaliteli dedikleri müzik neden aynı etkiyi gösteriyor? Dönüşümde Viyana'da yaşadıklarımı anlatıp kerametin nerede olduğunu soracaktım anti-arabesk arkadaşlarıma ve aldığım yanıtları içtenlikle anlamaya çabalayacaktım. Sonra da anlayacak bir şeyin olmadığına karar verecek içten içe kendime kızacaktım günlerce. Onlar temcit pilavı gibi dönüp dolaşıp aynı anlama gelen şeyler söyleyeceklerdi çünkü. Ve ben içimde yeni yeni küllenmeye yüz tutmakta olan ezikliğimle baş başa günler geçirecek, kendimle ilgili kuşku ve önyargılarımla boğuşacaktım uzun süre.

O yıllarda sorunun bende olduğuna emindim. Üstelik sadece müzikle de sınırlı değildi bendeki sorun. Batı insanının beğendiği hemen hemen hiç bir şey hoşuma gitmiyordu. Opera, bale, ağdalı lisanla yazılmış tiyatro...

Amerika Birleşik Devletleri'nde Oregon eyaletinin tam ortasındaki o küçücük kasabada, Ashland'da, Shakespeare ile tanışmıştım mesela. Shakespeare festivali vardı ve burslu okuduğum okul bir grup öğrenciyi alıp götürmüştü, ben de içlerindeydim. Ne de olsa konuk öğrenciydim. Kültürel etkinlik olayı yani.

Ne görkemli bir salondu o öyle. Oyuncular ne kadar da şatafatlı giyinmişlerdi. Dekor değiştirmek için zaman yitirilmiyor dönerli sahneler kullanılıyordu. Her şey Amerika büyüsüne uygundu yani.

Orada kaldığımız bir hafta boyunca ne çok sıkılmıştım. Her gün birkaç oyun izliyorduk Shakespeare amcadan. Ülkeme döndüğümde bu anımı anlatırken kaç kişi hayranlıkla dinlemişti beni. "Senin yerinde olmak isterdim," demişti birçok arkadaşım. Oysa ben hayatımın en sıkıcı zaman dilimlerinden biri olan o haftanın bitmesini iple çekmiştim.

Demek ki sorun bendeydi. Evet evet, eksik bir şeyler vardı bende, bu kesindi. Yoksa ne diye zevk almayayım koskoca Shakespeare'den! Uzun süre bu ezikliği atamadım üzerimden. Niye normal insanlar gibi opera izlemiyor, baleye bayılmıyor, Mona Lisa'ya uzun uzun ve hayranlıkla bakamıyordum? Neden illa da yanık havaları seviyordum da bir "arya" işitecek olsam nişadır sürülmüş dana gibi kaçıyordum? Bu sorular uzun süre kafamı kurcaladı. Paris'te, Louvre müzesinde dünyanın en ünlü tablolarının önünde dakikalarca bunları sormuştum kendime, açıklamaya çalışmıştım.

Kafamı meşgul eden soruların cevabını kendimce bulmuştum o yıllarda: Sorun bendeydi. Başka bir açıklaması olamazdı. Bu saplantım uzun süre devam etti. Kendimle barışıncaya kadar. İçinde yaşadığım toplumun ve ülkenin benim bir parçam olduğunu fark edinceye kadar. Var olan halimle mutlu olmayı, daha da önemlisi mutsuz olmamayı öğreninceye kadar...

Sana ve şarkılarına sorgulamaksızın haksız tepkiler gösterenlerin aşmaları gereken en önemli engel buydu bence.

Milyonlarca insana abi oldun, kardeş oldun, baba oldun yerine göre. O çetrefil yıllarda sofralarındaki kuru fasulyeyi, bardaklarındaki rakıyı paylaştın onlarla. Öyle zordu ki o günler. İnsanlar birbirini vuruyor, öldürüyor, birbirini düşman görüyordu. Fakat manav Nizamettin için, kuaför Ceyda için, dolmuş sürücüsü Erkal için böyle değildi durum. Onlar milyonlardı. Günü kurtarmaya çalışıyorlardı hepsi de. Hayatta kalmaya çabalıyorlardı. Hem ekmek kavgası, hem can kaygısıydı onlarınki. Olmadık bir yerden gelen kör bir kurşun her şeyin sonunu getirebilirdi onlar için. Korku diz boyuydu özetle. Ürkeklik kanlarına işlemişti haklı olarak. Sen onlara 'Yanınızdayım' dedin. 'Sizinleyim' dedin. Onlar "endişe etme" olarak anladılar. "Bu da geçer," diye yorumladılar seni. Rahatladılar. Seni başlarına taç ettiler. Duvarlarına astılar resimlerini, şarkılarını yüreklerine yazdılar. O zorlu yıllar daha kolay yaşandı şarkılarınla birlikte.

Sen, var ol! Uzun ömürlü ol Orhan Abi. O mağrur, içten, alçakgönüllü halinle kal her zaman. Herkese saygılı, herkese sevgi veren gülümsemenle kal. Ellerin dert görmesin. Sazının telinde büyüdüm ben. Eline, diline, sazının teline sağlık.

Bugünlerde başka sebeplerle didişiyorum çevremdekilerle. Yeni ve farklı tartışmalara giriyorum. Seni ve şarkılarını pek konuşmuyoruz artık. İnsanların başka konulardaki tercihlerini kilit altına almaya çalışanlarla tartışıyorum şu sıralar. Başkalarını kendi belirledikleri bir şablona uymaya zorlamak isteyenlerle.

Fakat üzgün değilim eskisi kadar, kırgın da değilim. Bırakıyorum çabalasınlar. Onlar da senin, benim gibi insan sonuçta. Bu ülkenin insanı. Yanlış da yapsalar sorun değil bence. Bir şeyler için çaba göstermeleri iyidir her zaman. Ne olursa olsun. Gariptir. Hor görme garibi. Garip olmak için illa da boynu bükük olmak gerekmez. Hem, hatasız kul olmaz ki...

AZ KURU AZ EKSELANS

O gün, uzun süredir olmadığı kadar mutluydu. Zorlu bir vize sınavından geçer not almıştı. Okul değiştirdiği için ilk iki yıl alamadığı öğrenci kredisi sonunda çıkmıştı, daha da önemlisi parasını bankadan alabilmişti. Gecekondu inşaatında yevmiyecilik suçuyla yakalanıp götürüldüğü karakolda ona iyi davranılmıştı. Komiser, üniversitede okuduğunu öğrendiğinde babacan bir tavırla onu kapıya kadar uğurlamış, cebine harçlık koymadığı kalmıştı. Ailesinden iyi haberler almıştı. On, on beş gün yetecek kadar parası vardı. Bütün bunlar üst üste gelmişti. Sevinçten sarhoş gibiydi. Kısacası, oh be, dünya vardı.

Kararlı adımlarla aylardır hedeflediği lokantaya yöneldi. Artık onu hiç bir şey durduramazdı. Evet, adı 'ekselans kebabı'ydı ve sonunda ona kavuşacaktı. Neye patlarsa patlasın bu zevki kendinden esirgememeye kararlıydı.

Hatta garsona bahşiş bırakmayı bile düşünüyordu. Ekselans kebabının övgüsünü çok işitmişti. Aynı evde kaldığı okul arkadaşları kaç kez ballandıra ballandıra anlatmıştı. İçinde neler yoktu neler. Her türlüsünden ızgara et, bulgur pilavı, ızgarada pişmiş domates, patlıcan, soğan... Kısaca, sevdiği her şey.

Lokanta kalabalık sayılmazdı. Önce çevresine şöyle bir göz attı, sonra sakin bir köşede bir masaya oturdu. Bir süre sonra garson geldi, "Hoş geldiniz," dedi, masa örtüsünü, bardakları düzeltti. Getirdiği çatal, bıçak ve ekmek sepetini özenle yerleştirdi.

"Ne arzu edersiniz ?"

"Ekselans kebabı." dedi, garsonun yüzüne bakmaya çekinerek. Sanki garsonla göz göze gelmek istememişti. İçini tuhaf bir suçluluk duygusu kaplamıştı. Pahalı bir şey almanın ya da pahalı bir yemek yemenin onda yarattığı suçluluk duygusuydu bu. Nedense herkesin ona baktığı ve onu izlediği şeklinde bir saplantı. Bir anda kendini kocaman bir kral tahtında otururken gördü. Tahtın ucuna öylesine ilişmişti. Sanki aslında orada oturmak istemiyordu da, onu zorla oturtmuşlardı. Ve o, kendisinden emir bekleyen diğer insanlar için üzülüyor, daha doğrusu sıkılıyordu, utanıyordu onlardan. Garson kibar hareketlerle uzaklaşınca rahatladı. Kendini daha da rahatlatmak için 'Müşterisi var ki satıyorlar,' dedi içinden. 'Üstelik parasıyla değil mi? Ne var sıkılacak?'

Çevresine bakındı. Yakınında hiç kimse yoktu. Bu masayı özellikle seçmişti zaten. Biraz gözden uzak, kuytu bir köşedeydi. Ayrıca lokanta kalabalık değildi. Bir süre çatal ve bıçakla oynayarak oyalandı. Bir dilim ekmek alıp kemirmeye başladı. Su içti. Sonra yine sıkılmaya başladı. Diken üstünde gibiydi. Acaba diğer masalarda oturanlar onun ekselans kebabı yediğini görebilir miydi? Hayır hayır, hiç kimse göremezdi. Herkesin onun yediği yemeği merak ettiği düşüncesinden kendini kurtarmalıydı. Üstelik burası çoğunlukla et yemekleri yapan bir yerdi. Hemen hemen her türlü yemek bulunuyordu tabii ama et yemekleriyle ünlüydü. Ayrıca oldukça lüks bir lokanta sayılırdı ve ekselans kebabı buranın müşterileri için hiç de ulaşılamayacak bir yemek değildi. Herkes kendisi gibi olamazdı ki. Buraya gelenlerin hepsinin ekselans kebabı yiyebilecek kadar iyi durumda insanlar olduklarını düşünmek, onu biraz sakinleştirmişti.

Yine de huzursuzdu. Yemeği beklerken geçen süre giderek daha uzun gelmeye başlamıştı. Elini kolunu ne yapacağını, nereye koyacağını bilemiyor, nereye bakacağını şaşırıyordu. Bulunduğu durumun keyfini çıkarmaya çalışması gerektiğine kendini inandırmak istiyordu. 'Ne olmuş yani ekselans kebabı istediysem. Pencere kenarında değilim ki yoldan gelen geçen görsün ve imrensin. İnsan ayda yılda bir, pahalı zevkleri tadabilmeli. Hem ne var bunda. Utanılacak bir şey olsa başta lokantacının kendisi utanırdı, ekselans kebabı sattığı için.'

Dakikalar geçtikçe huzursuzluğu artıyor, her saniye bir öncekinden daha da uzun geliyordu. Ya yakınına birisi oturursa ve ekselans kebabını yerken ona imrenerek bakarsa! Çok uzağa gitmeye gerek yok, mesela şu garson. Ekselans kebabını bir yana bırak, evine peynir götürebi-

liyor mu bakalım. Tamam, günde belki de yüzlerce ki-
şiye ekselans kebabı servisi yapıyordur yapmasına. Ama
kim bilir ne kadar çok canı çekiyordur adamın. Servis
yaptığı müşterilere ne kadar kızıyordur içinden. Belki de
küfür bile ediyordur.

Garsona karşı kendini daha da kötü hissetmeye baş-
ladı. Bulunduğu masaya doğru yaklaştığında gizlenmek,
masanın altına girmek, görünmez olmak geçiyordu için-
den. Aslında iş bulabildiği zamanlar kendisinin de gar-
sonluk yaptığını, ekselans kebabını kırk yılın başında, o
da yalnızca merak ettiği için yediğini, çok görmemesini,
yadırgamamasını ona anlatabilseydi ne iyi olurdu.

Onu rahatsız eden şey ekselans kebabı yemek de-
ğildi, 'ekselans kebabı yiyebilecek durumda birisi gibi
görünmek'ti belki de. Hatta daha doğrusu, 'böyle bir
görüntü vermeye çalıştığının düşünüleceği' korkusu.
Yani bir takıntı, bir saplantıydı işte. Hem de katmerli
tarafından. Bunu sezebiliyordu. Bir suç işliyormuş gibi
hissediyordu. Saplantı saplantıydı sonuç olarak, nasıl bir
saplantı olduğunun ne önemi vardı ki. Bu tür takıntılar-
dan kendini kurtarması çok zor görünüyordu.

Karmakarışık duygular içinde sıkıntıdan patlamak
üzereyken korktuğu başına geldi. Tam çaprazındaki ma-
saya bir bey oturdu. Ayağına basılmış gibi irkildi. Adam
onu başıyla selamladı, belli belirsiz, "Afiyet olsun," dedi.
Adamın selamına içgüdüsel bir şekilde başını sallayarak
cevap verdi, oturuş şeklini değiştirdi. Kendini bir cende-
renin içinde buldu birdenbire. Olacak şey değildi yani.
Bu kadar boş masa varken gelip gelip burnunun dibine

oturmasının ne alemi vardı ki!

Toplucaydı. Elli, elli beş yaşlarında olmalıydı. Saçlarındaki kırlar çok daha baskındı. Kravat takmamıştı fakat gömleğinin yaka düğmesi ilikliydi. Büyük olasılıkla bir emekliydi. Ya da orta halli bir esnaf. Nedense onun kumaş, iplik ve benzeri şeylerin satıldığı küçük bir dükkanın sahibi olduğu düşüncesi çok mantıklı göründü bir an. Zengin biri olmadığı açıkça anlaşılıyordu. Yoksul biri olduğunu söylemekse olanaksızdı. Orta halliydi işte.

O tarafa bakmamaya çalışarak göz ucuyla onun her hareketini izlemeye başladı. Adam yerine özenle yerleşti. Masanın üzerindeki çatalı bıçağı hafifçe kımıldatarak düzeltti. Suyunu doldurdu. Bir kaç kez iç geçirdi.

Bir an masasını değiştirmeyi düşündü. Bu düşünceden hemen vazgeçti. Böyle bir hareket rahatsız edici olabilirdi. Çevresindeki birini rahatsız etmekse onun asla katlanamayacağı bir şeydi. Öyle ya, lokantaya girip bir yere oturuyorsun hemen ardından yan masada oturan müşteri kalkıp başka bir yere oturuyor. Olacak şey değildi, yeterince sıkıntısı vardı, bir de bunu eklememeliydi.

Zaten iyi durumda olmayan sinirleri bu durum karşısında iyice gerilmişti, ne yapacağını şaşırmış haldeydi. Bu olmamalıydı. Koskoca lokantada oturacak başka yer mi yoktu ki. Bulunduğu yerden, birazdan garsonun getireceği ekselans kebabını en ince ayrıntısına kadar görebilirdi adam, çünkü kendisi onun masasının üstünü çok net olarak görebiliyordu. Sakin olmaya çalışarak bir süre karşıdaki duvarda bulunan tabloyu inceledi. Dakikalar şimdi daha da uzundu. Sıkıntıdan hafif hafif terlemeye başlamıştı.

Sonunda garson göründü. Elinde kocaman bir tepsi vardı ve tepsiden buharlar tütüyordu. Evet, bu oydu. Aylarca düşlerini kurduğu ama şu anda görmeyi en az istediği şey: Ekselans kebabı! Garson hızlı adımlarla yaklaştı, çevik hareketlerle yemeği masaya koydu ve güzelce yerleştirdi. Masada bir eksik var mı diye kontrol etti. "Afiyet olsun," dedi, başka bir isteği olup olmadığını sordu. Teşekkür etti garsona. Şu anda hiç bir şey istemiyordu, bir an önce çıkıp gitmekten başka...

Garson elinde tepsiyle gelirken karşı masadaki adama içten bir baş selamı vermişti adını söyleyerek. Demek tanışıyorlardı. Tanışıyor olmaları durumu daha da katlanılmaz yapıyordu aslında. Çünkü adamın garsonla arkadaş olması ekonomik olarak çok da iyi bir durumda olmadığının açık bir kanıtıydı. Bu ise onun önündeki ekselans kebabına özenerek bakacağı anlamına geliyordu ki, bundan daha büyük bir işkence yaşayamazdı.

Sıkıntıdan alnında boncuk boncuk ter birikmişti. Bu lokantaya geldiği için korkunç bir pişmanlık duyuyordu şimdi. Bir süre hiç bir şey görmeden önündeki tabağa baktı. Tabak değil kocaman bir tepsiydi adeta ve üzerinde arkadaşlarının anlattığı her şey vardı. Normal zamanda olsa ağzının sulanmasına yol açacak her şey. Hâlâ yaşamakta olduğu şokun etkisi altındayken garson diğer masadaki adamın yanına gitmiş ve ne istediğini sormuştu, konuşması son derece dostçaydı.

Garson aldığı yanıtı duyulacak kadar yüksek bir sesle tekrarladığında tam anlamıyla beyninden vurulmuşa döndü: "Az kuru, az pilav." Yani şimdi o ekselans kebabı yerken bir buçuk metre ileride bulunan birisi, kendisinin lokantaya gidebildiği ender zamanlarda yaptığı gibi, az kuru, az pilavla ve de elbette bol ekmekle karnını doyuracaktı ha! Olanlar inanılmaz geliyordu ona.

Bu bir başka saplantıydı onda. Onun sahip olduklarını elde edemeyen insanlar için kendini kötü hissetme saplantısı. Yaşadığı sürece bu rahatsız edici duygudan kurtulması mümkün olmayacaktı. Her zaman, hangi durumda olursa olsun, elde edebildikleri için kendini bir bakıma kötü hissedecekti. İster maddi, isterse manevi olsun, sahip olabildiği her şey! Açıklaması zordu. O sahipti ama aynı şeye sahip olamayacak durumda çok fazla insan vardı. Onlar ne olacaktı? Bunun saçma sapan, sinir bozucu ve hastalıklı bir düşünce olduğunu biliyor fakat kendini kaptırmamayı başaramıyordu. Yüzlerce kez kendini ikna etmişti ama yine de zaman zaman bu düşüncenin önünü alamıyordu.

Ensesinden aşağı buz gibi ter damlalarının indiğini duyumsadı. Ne yapacağını bilemez haldeydi. Ona doğru baktı. Adam hiç oralı değildi. Kendi halinde düşüncelere dalmış görünüyordu. Bir yandan da önündeki ekmekten küçük parçalar koparıyor ve ağzına atıyordu. Ona karşı öfke duyduğunu hissetti. Ama en büyük öfkeyi kendine karşı duyuyordu. Huzursuzluğunun hiç bir anlamı yoktu. Bu kesindi. Fakat kendini bu utanma, daha doğrusu mahcubiyet duygusundan kurtaramıyordu. Aslında utanılacak, mahcup olunacak bir şey yaptığını da düşünmüyordu. Günün birinde o adam da ekselans kebabı yiyebilirdi. Ya da daha önce birçok kez yemişti belki de.

Bu düşünce çok saçma geldi birden. Belli ki dar gelirli biriydi. Ve onun karşısına geçmiş dev gibi bir tabakta ekselans kebabı yiyordu işte. En yalın biçimiyle gerçek buydu. Kim bilir ne çok özeniyordu adamcağız. Ondan tarafa bakmıyor olması neyi değiştirirdi ki. Hem, her şey bir yana, herhalde kokusunu alıyordur en azından. Koku konusu aklına gelince daha da kötü hissetmeye başladı. Neyin ne zaman kokacağı, neyin iyi neyin kötü kokacağı bilinmezdi. O nedenle önündeki tabağın kokusunun adama kadar gitmiş olacağına kesin gözüyle bakıyordu.

Elinin ucuyla ekselans kebabının kenarından ufak bir parça aldı. Lokma ağzında büyüdü de büyüdü. Kim bilir nasıl kokuyordur adamcağızın burnuna şimdi! Bu arada adamın istediği kuru fasulye ve pilav gelmişti. Acele etmeden ama iştahla yemeye koyulmuştu. Yemek yeme biçimi bile düşüncelerindeki haklılığı ortaya koyuyordu. Tabağındaki her bir pirinç tanesini düzeltiyor ve düzenli ama yavaş çatal hareketleriyle ağzına götürüyordu. Lokmasını uzun uzun çiğniyordu. 'Ne yapsın,' diye düşündü. 'Karnını doyurmaya çalışıyor zavallı adam. Sen ekselansın keyfini sür bakalım sürebilirsen.'

Kendini zorlayarak önündeki tabağın -ne tabağı, kocaman tepsinin- sağını solunu didikledi. Canı istemiyordu. Oysa acıkmıştı. Fakat gözü yan masadaki adamdaydı. Adam sakin sakin yemeğini yiyordu. Dünya yansa umurunda olmayacakmış gibi görünüyordu. Hareketleri insanı çıldırtacak kadar yavaştı. Sanki yemek yemiyordu da, her lokmaya bayramlıklarını giydiriyordu, özene bezene.

Daha fazla dayanamadı. Yemeği soğumuştu. Ağzına aldığı son lokmayı zorla yuttu. Bir bardak dolusu su içti. Yavaş yavaş huzursuzluğu geçmişti. Yaptığının anlamsız olduğunu iyice kavramaya başlamıştı, daha doğrusu anlamsızlığın zaten farkındaydı da, alışmaya başlamıştı. Başkaları için üzülmenin, yediği yemek yüzünden vicdan azabı çekmenin ve sıkılmanın ne demek olduğunu "iş üstünde" öğrenmek denebilirdi buna.

Yerinden kalktı. Bu arada adam kuru fasulye ve pilavı bitirmiş, garson adamın önündeki boş tabakları kaldırmaya başlamıştı. Hesabı ödemek için kasaya doğru yürürken garsonla adamın aralarında geçen konuşmaları işitebiliyordu:

"Ekselansı hazırlatayım mı abi?"

"Hayır, bana önce biraz ıspanak yemeği getir, ekselansı ondan sonra yiyeyim."

Bir an öylece kalakaldı. Demek onun yoksul sandığı ve karşısında pahalı bir yemek yemekten rahatsız olduğu o insan, aslında ekselans kebabının devamlı müşterisiydi! Yediklerine bakılırsa hem de epeyce obur bir müşterisi.

İçini büyük bir sevinç dalgası kapladı. Yüzüne geniş bir gülümsemenin yayıldığını hissetti. Masadan aç kalkmıştı fakat şimdi o kadar rahatlamıştı ki. İçindeki bu huzura karşılık yüzlerce ekselans kebabını masada bekletebilir, soğutarak yemeden kalkabilirdi.

Evet, karnı hâlâ açtı. Ve bu duyguya hiç yabancı değildi. Daha önce birçok biçimine ilişkin deneyim kazandığı açlık duygusunun bu farklı ve güzel versiyonunu yaşamış olmaktan mutluydu.

GELİŞMİŞ ÜLKE ADAMI

Hızlı adımlarla ve yağan yağmura aldırmayarak, gelişmiş Avrupa ülkesi başkentinin sokaklarında yürüyordu. Yabancı bir yerde zorunlu olmadıkça taksiye binmek ona hep itici gelirdi. Genellikle yürürdü. Çok çok, metro ya da otobüse binerdi.

Bunun için kendince yeterli sebep de vardı; zengin anılar biriktirmek, geride bırakılan yaşanmış günleri hatırlayabilmek ancak belleğe alınan kayıtlarla mümkün olabiliyordu. Değişik olay ve insanlarla karşılaşma olasılığı yürürken daha fazlaydı.

Değişik olaylarla karşılaşmaktan, farklı, yeni insan ve yaşam biçimlerini öğrenmekten büyük zevk alırdı. Gittiği yerlerde oraya özgü yiyeceklerden mutlaka tatmaya çalışır, özellikle yerel meyve ve sebzelerin her türünü denemeye özen gösterirdi. İnsan beyni akıllıca çalışıyor, daima ilk kez algıladığı şeyi kayıtlarına alıyordu çünkü.

İkinci kez gördüğünü "Bu bende var," diyerek çöpe atıyordu. Ancak yeni ve farklı olursa, yani mevcut kayıtlarda yoksa belleğine ekliyordu onu. Pul biriktirenler gibi yaklaşıyordu olaylara yani. Her şeyden sadece bir kopya ile yetiniyordu. Bu yüzden hep aynı ve birbirinin benzeri şeylerle yetinmemek, yeni ve farklı şeyleri kaçırmamak, olabildiğince arttırmak gerekiyordu.

Ulaşım araçlarında iyi bir gözlem yapmak her zaman olanaklı değildi. Yürürken dilediğiniz zaman durup çevreye göz atabiliyor, değişik bir olayı, daha önce karşılaşmadığınız bir yeni olguyu izlemek, her yönüyle ve iyice algılayabilmek için oyalanabiliyordunuz.

Gerçi Londra'ya bundan önce birkaç kez gelmişti, yeni bir yer sayılmazdı onun için, ama o yine de yürümeyi yeğlemişti. Sonraki yıllarda işi gereği çok sık, neredeyse her ay seyahat edeceği bu puslu kent, yürümek için çok da elverişli bir yer sayılmazdı aslında. Yollar ıslaktı ve hava kasvetliydi. Ama yürümek onun sözlüğünde, büyülü bir olaydı ve vazgeçemezdi. Tüm olumsuzluklardan sıyrılabilmesini sağlayan gizemli bir işti yürümek onun için.

İşlerini yoluna koymuş, dönüş hazırlığına başlayacak güne gelmişti. Yağmur bir bakıma düşüncelerini toparlaması için yardımcı oluyordu. O adamı yeniden görmeyi çok istiyordu. Önceki gelişinde kendini çok kötü hissetmesine yol açan o insanlıktan yoksun yaratığı görmek istiyordu nedense. Duyduğu öfkeyi biraz olsun azaltacaktı sanki onu görmek. Sadece görmekti istediği. Başka bir şey yapmayı düşünmüyor, daha doğrusu göze alamıyordu.

Aslında ona haddini bildirecek bir şey yapabilmeyi çok isterdi. Fakat bu hem anlamsız, hem de çok riskli olurdu. Genel olarak kindar biri değildi ama o adamın, pardon o 'ayı'nın kendisine yaptığını unutması olanaksızdı. Onu bağışlayamazdı. Çok incinmiş, kendini çok kötü hissetmişti.

Bir kaç ay önceydi. Bu çevrede bir adres arıyordu. Kentin her zamanki gri kurşuni arası renkteki akşamlarından biriydi. Oldukça yorgundu. Bir köşede durmuş, sokak adlarını okumaya çalışıyordu. Havanın kararmak üzere olduğunu fark ettiğinde telaşlandı. Geç kalabilirdi. Aradığı yeri bulmak için birinden yardım istemeye karar verdi. Sormak için uygun birini ararken o adamı, gazete satıcısını gördü. Daha doğrusu bulunduğu yerin farkına vardı. Bir gazete ve kitap satıcısının önünde duruyordu.

Gözüne kestirdiği adam oturmuş, önündeki gazeteyi okuyordu. Yalnızdı. Şapkasının tam olarak kapatmadığı saçları iyice kırlaşmıştı. İlk bakışta bir gazete-kitap satıcısı olmak için uygun biri değilmiş gibi geldi ona. Bu .yargıya yalnızca dış görünümünden dolayı değil, yüz anlatımından dolayı da varıyordu. Olgun, güven veren bir görünümü vardı. Ayrıca giyim kuşamının da oldukça düzgün olduğu söylenebilirdi. Ağır, oturaklı, okumuş, görmüş geçirmiş, kılı kırk yaran bir kişi olduğu açıkça belli oluyordu. Böyle bir insan daha çok bir okul müdürü falan olmalıydı ya da bir şirket yöneticisi. Ona öyle gelmişti işte, kısaca söylemek gerekirse, adamı gazete satıcısı olarak düşünmekte zorlanmıştı.

Çok kibar bir biçimde aradığı yeri nasıl bulabileceğini sordu ona. Nazik bir tavırla yerinden kalkacağını ve hem açıklamalarda bulunarak hem de eliyle yönleri göstererek gideceği yeri tarif edeceğini düşünmüştü. Ne de olsa "Avrupalı" idi, üstelik "entelektüel" bir tipi vardı. Evet, o tam da böyle şeylerin sorulacağı biriydi. Bu gibi konularda yardım istenebilecek bir kişiydi.

Söylediklerini işittiğinden emin olabileceği bir yakınlıktaydı. Sesi ne çok yüksek, ne de alçaktı. İşitmemesi, anlamaması olanaksızdı. Adamın gösterdiği tepkiyi ancak oradan beş ya da on metre uzaklaştıktan sonra tam olarak algılayabilmiş ve kendini çok kötü hissetmişti. Çok öfkelenmiş ve üzülmüştü.

Adam hiç istifini bozmamış, başını bile kaldırmamıştı. "Bilmiyorum," demek zahmetini bile göstermeden uzun bir ağızlığın ucuna taktığı sigarasını eline almış ve ağız köşelerini sert sayılabilecek bir biçimde aşağı doğru çekmişti. Hani zaman zaman "ben nereden bileyim" anlamında yaparız.

Keşke bununla kalsaydı. Yaptığı dudak bükme hareketi ile yetinmemiş, ardından garip bir ağız hareketiyle ona doğru tükürmüştü adam! Tükürüğü ağzından öyle bir ustalıkla fırlatmıştı ki, iri bir nohut tanesi büyüklüğündeki tükürük parçası sanki hedefe kilitlenmiş bir füze gibi gelmiş, ayakkabılarının tam önüne düşmüştü.

Önce bu davranışa bir anlam verememişti. Daha doğrusu hiç beklemediği için anlayamamıştı. Kendini toparladıktan sonra biraz daha sert ve itiraz eder tonda yeniden sormak üzereydi ki, içinden gelen bir güç ona engel oldu. Sustu, nerede bulunduğunu hatırladı. Burası yabancı bir ülkeydi hem de öteki ülkelerden çok daha fazla zorluk yaşayabileceği bir ülke. Sorun yaratmaması kendi iyiliği için ön koşuldu. Sudan sebeplerle günlerce tutuklu kalan, bin türlü dertle uğraşmak zorunda bırakılan insanları hatırladı. Aklına gelen sözcükleri bir bir yuttu zorlukla. Ayakları geri geri gitti. Hızlı adımlarla oradan uzaklaştı.

Belki de onu anlamalıydı, kim bilir günde kaç kişi gideceği yeri soruyor ya da herhangi bir konuda yardım istiyordu. Gazete, dergi, sigara satıcılarının, büfelerin kaderiydi bu. Gelen geçen insanlar sık sık yer, yön ya da soru sorardı onlara. Birçok kez "Danışma değildir", "Adres sormayın" gibisinden karton levhalar görmüştü gazete büfelerinin önünde. Belli ki insanların bu tür sorularından bıkıyor, bunalıyorlardı.

Fakat bu adam, bu densiz adam, onunla açıkça dalga geçmiş, resmen hakaret etmişti ona. Yaptığı davranış hoşgörüye sığabilecek gibi değildi. Açık seçik bir biçimde onu küçümsemiş, yok saymıştı. 'Yüzüme tükürseydin ulan!' diye düşündü. 'İnsan bilmiyorum der, bana sorma der. Hıyar oğlu hıyar! Ya da en azından oraya bir levha asar, adres sormayın diye; soran olursa da parmağıyla levhayı gösterir.'

Daha sonraki günlerde olayı her hatırlayışında daha da gücüne gitmişti. Açık bir biçimde aşağılandığını düşünüyordu. Kendini zorlamış ve 'Acaba aşırı duyarlılık mı gösteriyorum?' diye de düşünmüştü. Ama bu pek akla yatkın değildi. Böyle bir durumda kim olsa rahatsızlık duyardı. Aşırı duyarlılık filan değildi bu. Adamın yaptığı insanlığa sığacak, katlanılacak cinsten değildi.

Olayın üzerinden altı aya yakın bir süre geçmişti. Şimdi o gazete büfesini bulmak ve o adamı yeniden görmek istiyordu. Bu hem garip, hem de güçlü bir istekti. Bir şey yapacağından değildi. Hem ne yapabilirdi ki? Ona haddini bildirmeyi çok isterdi elbette. Fakat bu, başını belaya sokması bir yana, gereksiz ve anlamsız bir davranış olurdu. Ayrıca olanaksızdı da. Ne yapabilirdi ki? Hiç, koskoca bir hiç!

Yine de o adamı yeniden görmek istiyordu. Belki de onun davranışına karşı duyduğu nefreti bir kez daha hissetmek istiyordu. Bu onu rahatlatacaktı sanki. Hem işi de yoktu ve zamanı boldu. Onu bulacağı yeri çok iyi biliyordu. Belleğinde büyük izler bırakan olayları tüm ayrıntılarıyla birlikte hatırlardı o. Asla unutmazdı.

Kaldırımda birikmiş bir genç grubunun arasından geçti. Oturacak uygun bir yer aradı. Yaşlı başkentin çeşitli renklere ve ışıklara bürünmüş akşamı, soğuk havaya karşın insanın dikkatini dağıtmaya yetiyordu. Acele etmesi gerekmiyordu çünkü gazete satıcısının geç saatlere kadar açık olacağını biliyordu. Onu orada bulmayı umuyordu. Sadece uzaktan bakacak ve ona küfürler yağdıracaktı içinden. Bunu son derece çocuksu bir öfke yüzünden yapmak istiyordu. İsteğinin çocuksu olması onu rahatsız etmiyordu. Çocuk yanlarını hep sevmiş, hep korumuştu o. Yaşadığı her olayı önce çocukça bir bakışla değerlendirir, dalgasını geçer, keyfini çıkarırdı. Yetişkin olarak yapması gerekenleri, eğer acil bir durum söz konusu değilse, hep daha sonraya ertelerdi. İçinde iki farklı kişiliği birden barındırdığını bile düşünmüştü bu yüzden. Daha sonra herkesin böyle olduğunu öğrenmiş, fakat birçok yetişkin insanın çocuk yönlerini körelttiği, geliştirmediği, bu nedenle de hayatın tadına yeteri kadar varamadığı sonucuna ulaşmıştı.

Girdiği pastanede, cam kenarında sakin bir köşeye oturmuş, bir yandan çayını yudumluyor bir yandan da yoldan geleni geçeni seyrediyordu. Karmakarışık duygu ve düşünceler içindeydi. Batı insanının yabancılara, yani dünyanın geri kalan yerlerindeki insanlara karşı sergilediği genel yaklaşıma bir örnekti yaşadığı şey. Belki uç bir örnekti, ama ne fark ederdi ki. Hem sorun insan denen canlının kendisinden kaynaklanmıyordu aslında. Yani o adam, o insan süprüntüsü, kendisi yaratmıyordu yaptığı her şeyi. Kendi başına üretmiyordu. Yaşanmış onca geçmişin, yüzyıllar süren şehir yaşamının üzerine uygarlık, teknoloji, kolaylaşan ve hızlanan hayat gelip oturmuştu. Bunun doğal sonucu olarak da giderek yalnızlaşan insan ve kaçınılmaz gelişmeler; sayıca azalan değerler, aşınan duygular, insanlar arasında yok olan sıcaklık, makineleşen hoşgörü, robotlaşan gülümsemeler... Bunları yaratan etkenlerin son derece açık ve net olduğunu düşünüyordu.

Kendi ülkesi ve kendi toplumuna duyduğu sevgiyi hissetti içinde. Ülkesinin çok güzel bir yer olduğunu, binlerce sorunu bulunsa da yeryüzündeki en güzel köşe olduğunu düşündü. Kendi toplumunu oluşturan insanların batı insanına göre çok daha kaliteli insanlar olduğuna inanıyordu. Uygar Avrupa'da insan denen molekül çuvalı acınacak haldeydi ona göre. Belki seksen farklı türde çay şekeri, yüz elli yedi değişik özellikte çamaşır yumuşatıcısı vardı yaşamlarında. Her zevke uygun tüketim seçenekleri vardı evet. Ama gelişmiş ülke insanları iç zenginlikten yoksun, yüreği ısıtan değerlerden uzak, konserve bir yaşam sürüyorlardı çoğunlukla. Konforlu ama konserve bir yaşam.

Oturduğu yerden kalkıp kendini dışarıya, giderek daha kasvetli bir görünüm alan kaldırıma attı. Yağmur hızını kesmişti, yalnızca çiseliyordu. Bir süre yürüdü. Gideceği yere az kalmıştı, hemen şu köşeyi dönünce ulaşmış olacaktı. Karanlık iyice çökmüş, çoktan yanmış olan sokak ışıkları ilk dakikalardaki canlılıklarını yitirmişti.

Köşeyi dönüp gözleriyle elli altmış metre ileredeki gazete büfesini bulduktan sonra içini bir sevinç dalgası kapladı. Oradaydı. Aylardır aklından çıkmayan olayın kahramanı olan o zibidi herif yine büfedeydi. Zihninde yer eden siluetini seçebiliyordu uzaktan.

Soğukkanlı olmaya çalışarak yavaş adımlarla ilerledi. Çevresine göz attığında bulunduğu sokağın düşündüğü kadar işlek bir yer olmadığını fark etti. Sapa bir yer sayılabilirdi. Kenar mahalle olarak bile adlandırmak mümkündü. Yakınlarda yalnızca bir metro durağı vardı o kadar. Cılız ışıklarıyla kendilerini belli eden birkaç vitrin, kapanmaya hazırlanan küçük dükkanlar, orada burada yanıp sönen reklam ışıkları, bir iki lokanta, kafe. Yaşlı başkentin ıssız köşelerinden biriydi burası.

İyice yaklaşıp daha dikkatle bakınca bir ürperti kapladı içini. Neye uğradığını şaşırdığı zamanlardakine benzer bir ürpertiydi bu. Adam yalnızdı. Gazete büfesinin orta yerinde bir sandalyenin üzerinde oturuyordu. Oturduğu yerde uyukluyor, daha doğrusu kendinden geçmiş bir şekilde uyuyordu. Üstelik horluyordu da. Hem de ne horlama.

Gördüğünü anlamakta bir an için güçlük çekti. Sonra iyice incelemeye başladı adamı. Başı hafif arkaya doğru eğikti, şapkası yere düşecek gibi çarpık ve rasgele ya da öylesine konulmuş gibi duruyordu başında. Yüzünde acınacak bir ifade vardı. Ağzı hafif aralıktı, derin ve kesik kesik soluk alıyor, sonra da uzun bir horlama sesi eşliğinde veriyordu nefesini. Tıraşı iyice uzamış, saçı sakalı birbirine karışmıştı. Sakalıyla saçlarının karmakarışıklığı ona daha da zavallı bir görüntü veriyordu. Giysileri onu ilk gördüğü sıradaki giysilerdi. Adamın sırtındaki giyeceklerin acınası durumu bir an için genel kabul gören anlayışın tersini düşündürdü ona: Bu adam için giysiler ambalaj değil, giysiler için o bir ambalajdı sanki. Geçen sefer aklı başında, görmüş geçirmiş, son derece güçlü, ağırlığı olan, her şeye aklı eren bir insandı adam. Oysa şimdi bunun tam tersi bir görünüm sergiliyordu. Sokaklarda yaşayan, evsiz barksız, düşkün biriydi adeta.

Gömleğin altına giydiği kalın kazağın deseni yakasına bakıldığında seçilebiliyordu. Parmaklarının arasında kendiliğinden sönmüş bir sigaranın izmariti duruyordu. Ellerine dikkatle baktığında kir pas içinde oldukları hemen seçilebiliyordu. Parmaklarının arası kirli sarı bir renkte tütün izleriyle kaplıydı. Tütün sarısı, uzamış tırnaklarının içindeki kire bile sinmişti.

Çaresizlik, umutsuzluk, boşvermişlik... Bütün karamsar duygular açık seçik okunabiliyordu yüzünde. Bir an, sadece bir an, gördüğü kişinin aynı kişi olmayabileceği geldi aklına. Fakat bundan o kadar emindi ki. Oydu, o adamdı, aynı kişiydi. Son bir kaç aydır aklından hiç çıkmayan, her hatırladığında içinde büyük bir öfke uyandıran adamdı bu, farklı biri olması olanaksızdı.

Orada durup ona uzunca bir süre baktı. Ne yapacağını, ne düşüneceğini şaşırmış bir durumdaydı. Duyguları altüst olmuştu. İçini büyük bir acıma duygusu kaplamıştı. Onun hakkında düşündüklerinden rahatsızlık duymaya başlamıştı neredeyse. Hızlı adımlarla uzaklaşırken horlama sesi ve aynı anda işitilen soluk verme gürültüsü kulaklarında yankılanıyordu.

Adam için üzülmüştü elbette. Ona karşı derin bir acıma hissi vardı içinde şimdi. Fakat o gün oraya gitme kararı o kadar doğru bir karardı ki. İçinde adama karşı hissettiği acıma duygusu kadar güçlü bir sevinç duygusu da oluşmuştu. İyi ki oraya gitmişti, iyi ki o adamı acınacak halde görmüştü. Bir insanın acınacak halde olması hiç istemediği bir şeydi elbette. Fakat şu anda iki duyguyu bir arada yaşıyordu. Eğer gitmemiş olsaydı aklına her geldiğinde onu öfkeden çılgına çeviren o anısını törpüleyememiş olacaktı. İçinde bir yerlerde hep yaşatacaktı.

O kente daha sonraki gidişlerinde birkaç kez aynı gazete satıcısına uğradı. Fakat onu göremedi. 'Kim bilir, belki ölmüştür, ya da iyice düşkün olmuş ve yatalak bir yaşam sürmektedir,' diye düşünmüş, o adamın kendisine hissettirdikleri için belli belirsiz bir borçluluk duygusu kaplamıştı benliğini.

Onun her iki halini aynı anda gözünün önüne getirdiğinde aşılması zor bir hüzün kaplıyordu içini. İnsanın her yerde insan olduğunu ve demir parmaklıklarla çevrili bir kafesin içinde yaşamak zorunda bulunduğunu düşünüyordu. Sınırları keskin çizgilerle belirlenmiş, şekilsiz bir demir kafes.

Kültürün, ülke sınırlarının, uygarlığın değiştiremediği, genel hatlarını silemediği bir varlıktı insan. Dünyanın hangi köşesinde olursa olsun, insan, insandı. Ne uygarlık değiştirebilirdi bu gerçeği, ne zengin olmak ne de yoksulluk. Belki de şimmdilik...